FRANCOPHONIES
D'AMÉRIQUE

FRANCOPHONIES
D'AMÉRIQUE

Automne 2019

Numéro 48

Les Presses de l'Université d'Ottawa
Centre de recherche en civilisation canadienne-française

FRANCOPHONIES
D'AMÉRIQUE

Automne 2019
Numéro 48

Directeur:
RÉMI LÉGER
Université Simon Fraser
Courriel: rleger@sfu.ca

Conseil d'administration:
JIMMY THIBEAULT, président
Université Sainte-Anne

JOEL BELLIVEAU
Université Laurentienne

ÉRIC CHEVAUCHERIE
ACUFC

LUCIE HOTTE
CRCCF, Université d'Ottawa

EMMANUELLE LE PICHON-VORSTMAN
CREFO, Université de Toronto

PIERRE-YVES MOCQUAIS
Campus Saint-Jean, Université de l'Alberta

MARTIN PÂQUET
Université Laval

JULES ROCQUE
Université de Saint-Boniface

CHRISTOPHE TRAISNEL
Université de Moncton

Comité éditorial:
LAURENCE ARRIGHI
Université de Moncton

CLINT BRUCE
Université Sainte-Anne

ÉRIK LABELLE EASTAUGH
Université de Moncton

VALÉRIE LAPOINTE-GAGNON
Campus Saint-Jean, Université de l'Alberta

NICOLE NOLETTE
Université de Waterloo

AMADOU OUÉDRAOGO
Université de Louisiane à Lafayette

SUSAN PINETTE
Université du Maine

OLIVIER PULVAR
Université des Antilles

CÉCILE SABATIER
Université Simon Fraser

ANNE-JOSÉ VILLENEUVE
Université de l'Alberta

Recensions:
MARTIN NORMAND
Université d'Ottawa
Courriel: mnormand@uottawa.ca

Révision linguistique: JOSÉE THERRIEN

Correction d'épreuves et coordination:
OLIVIER LAGUEUX

Mise en page et montage de la couverture:
Édiscript enr.

En couverture: Éric Ouimet, *Above it All*, sérigraphie sur papier, 76,2 cm × 45,72 cm, août 2019.

Cette revue est publiée grâce à la contribution financière des institutions suivantes:

Association des collèges et universités de la francophonie canadienne (ACUFC) • Campus Saint-Jean, Université de l'Alberta • CRCCF, Université d'Ottawa • CREFO, Université de Toronto • Université de Moncton • Université de Saint-Boniface • Université Laurentienne • Université Laval • Université Sainte-Anne

ISBN: 978-2-7603-3172-3
ISSN: 1183-2487 (Imprimé)
ISSN: 1710-1158 (En ligne)
Dépôt légal – Bibliothèque et Archives nationales du Québec, 2020
Dépôt légal – Bibliothèque et Archives Canada, 2020
Les Presses de l'Université d'Ottawa/Centre de recherche en civilisation canadienne-française, 2020
Imprimé au Canada

Comment communiquer avec

FRANCOPHONIES
D'AMÉRIQUE

POUR LES QUESTIONS D'ABONNEMENT, DE DISTRIBUTION
OU DE PROMOTION :

Centre de recherche
en civilisation canadienne-française
Université d'Ottawa
65, rue Université, bureau 040
Ottawa (Ontario) K1N 6N5
Téléphone : 613 562-5877
Télécopieur : 613 562-5143
Courriel : crccf@uOttawa.ca
Facebook : @FrancophoniesDAmerique

POUR TOUTE QUESTION RELEVANT DU SECRÉTARIAT DE RÉDACTION :

Olivier Lagueux
Secrétariat de rédaction, *Francophonies d'Amérique*
Centre de recherche
en civilisation canadienne-française
Université d'Ottawa
65, rue Université, bureau 040
Ottawa (Ontario) K1N 6N5
Téléphone : 613 562-5800, poste 4001
Télécopieur : 613 562-5143
Courriel : publications.crccf@uOttawa.ca

Francophonies d'Amérique est disponible sur la plateforme Érudit à l'adresse suivante :
https://www.erudit.org/fr/revues/fa

Francophonies d'Amérique est indexée dans :

Klapp, *Bibliographie d'histoire littéraire française* (Stuttgart, Allemagne)

International Bibliography of Periodical Literature (IBZ) et *International Bibliography of Book Reviews (IBR)* (Hasbergen, Allemagne)

International Bibliography of the Social Sciences (IBSS), *The London School of Economics and Political Science* (Londres, Grande-Bretagne)

MLA International Bibliography (New York)

REPÈRE – Services documentaires multimédia

Table des matières

RECENSIONS

Présentation

FRANCOPHONIES
D'AMÉRIQUE

Rémi Léger
Université Simon Fraser

En novembre 1984, la Fédération des francophones hors Québec (FFHQ), devenue depuis la Fédération des communautés francophones et acadienne du Canada (FCFA), convoquait une soixantaine de personnes, dont plus d'une vingtaine de chercheurs, à un premier colloque visant à dresser un bilan de l'état de la recherche sur les minorités francophones à l'extérieur du Québec. Dans son allocution d'ouverture, le président de la FFHQ, Léo LeTourneau, exprimait le souhait que le colloque débouche notamment sur la création d'un « institut de recherche sur les communautés linguistiques minoritaires au Canada ». Dans les actes du colloque publiés l'année suivante, nous pouvons lire que l'idée d'un réseau de chercheurs, s'étendant de Vancouver à Moncton, a été esquissée à la fin du colloque. Autrement dit, il s'agissait là du tout début de l'institutionnalisation de la recherche sur la francophonie nord-américaine.

Qu'en est-il de l'institutionnalisation de la recherche sur la francophonie nord-américaine trente-cinq ans plus tard ? Le nombre d'instituts, de centres, de revues et de chaires de recherche ne cesse d'augmenter. Dans les derniers mois, une nouvelle Chaire de recherche du Canada sur les minorités francophones canadiennes et le pouvoir a été inaugurée à l'Université de Moncton. En Ontario, l'Université de l'Ontario français a annoncé la création d'une nouvelle revue francophone et transdisciplinaire, *Enjeux et société*, et l'Université d'Ottawa a annoncé quatre nouvelles chaires de recherche sur la santé des francophones de l'Ontario, l'immigration et les communautés franco-ontariennes, le patrimoine culturel en francophonie internationale et la mobilité francophone. Dans l'Ouest canadien, le Campus Saint-Jean de l'Université de l'Alberta a pour sa part créé un nouvel institut sur les recherches transdisciplinaires en francophonie.

Il y a présentement six Chaires de recherche du Canada consacrées à la francophonie canadienne, en plus des chaires institutionnelles à l'Université de Moncton, l'Université Laval, l'Université d'Ottawa et l'Université Laurentienne. *Enjeux et société* vient s'ajouter à plusieurs revues, dont *Francophonies d'Amérique*, les *Cahiers franco-canadiens de l'Ouest*, la *Revue du Nouvel-Ontario*, *Port Acadie* et *Minorités linguistiques et société*. Des instituts ou des centres de recherche existent à l'Université Sainte-Anne, l'Université de Moncton, l'Université d'Ottawa, l'Université de Toronto, l'Université Laurentienne, l'Université de Saint-Boniface, l'Université de Régina, le Campus Saint-Jean de l'Université de l'Alberta, l'Université du Maine et l'Université de la Louisiane à Lafayette.

L'heure d'un nouvel état des lieux de la recherche a-t-elle sonné? Qu'en est-il des relations entre les instituts, les centres, les chaires et les revues? De nouvelles synergies sont-elles envisageables? En ce qui me concerne, j'estime que prendre le temps de réfléchir collectivement à l'institutionnalisation de la recherche sur la francophonie nord-américaine nous permettra de mieux saisir la force de notre pouvoir d'agir ainsi que ses limites.

L'état des connaissances sur la Fransaskoisie : une analyse de la recherche produite entre 1960 et 2018[1]

Janique Dubois
Université d'Ottawa

Michael Poplyansky
La Cité universitaire francophone, Université de Regina

L a rencontre entre les milieux universitaires et communautaires est de plus en plus valorisée, notamment en francophonie canadienne à l'extérieur du Québec (Cardinal et Forgues, 2014). Guidés par les principes fondamentaux de la collaboration, de la coconstruction et du codéveloppement, les partenariats université-communauté partent de la prémisse selon laquelle les communautés sont porteuses de savoirs et appellent au développement de relations réciproques afin d'assurer le partage des connaissances (CRSH, 2009 ; King *et al.*, 2009). Le développement de ces partenariats repose sur l'engagement social des chercheurs, ce que Freire (1991) appelle « l'action culturelle de la liberté », qui vise à permettre aux communautés d'agir sur le monde.

Des études menées dans des communautés francophones en situation minoritaire attestent que des chercheurs contribuent à renforcer la capacité d'agir des communautés par l'entremise de partenariats de recherche (Allaire, Dorrington et Wade, 2017). Les effets positifs de cette approche sur l'épanouissement des communautés ont été mis en lumière par des études de cas en Ontario et au Nouveau-Brunswick, qui montrent que le codéveloppement de connaissances favorise l'innovation et répond directement aux besoins des communautés francophones en milieu minoritaire (Cardinal et Forgues, 2014).

---

[1] Les auteurs remercient Guillaume Dusseux-Gicquel, Fredrick Etommy et Tahir Younis de leur aide au cours de la recherche. Nous avons bénéficié du financement du Centre canadien de recherche sur les francophonies en milieu minoritaire et de la *University of Regina's President's Seed Grant*. Nous remercions Rémi Léger ainsi que les évaluateurs anonymes pour leurs commentaires sur des versions antérieures du texte.

Cet article pose un regard sur une des communautés franco-canadiennes les moins étudiées, la communauté fransaskoise, afin de constater l'effet des partenariats université-communauté sur la production des savoirs et la capacité d'agir de cette communauté. Aucun bilan des études consacrées aux Fransaskois n'existe à ce jour. Notre propre examen révèle la présence d'une recherche engagée dans le contexte fransaskois depuis les années 1960[2], qui se manifeste souvent par des partenariats directs avec des acteurs communautaires.

Après une brève présentation de la communauté fransaskoise et de la méthodologie adoptée pour réaliser cette étude, nous effectuons une synthèse des principaux textes publiés sur les francophones de la Saskatchewan entre 1960 et 2018. Notre analyse qualitative de ce corpus révèle que les tendances thématiques et méthodologiques des recherches sur la Fransaskoisie se manifestent en symbiose avec d'autres courants sociopolitiques présents dans la communauté. Nous rendons compte aussi du rôle des réseaux et des centres de recherche dans la production des savoirs sur les Fransaskois. En conclusion, nous ouvrons des pistes afin de développer davantage la recherche engagée avec les communautés francophones en milieu minoritaire.

La Fransaskoisie : introduction à une communauté peu étudiée

Depuis les années 1970, les études portant sur les communautés francophones en milieu minoritaire au Canada ont connu une forte croissance (Massicotte, 2005 ; Dorais, F.-O., 2016). Cet intérêt a mené à l'émergence de revues multidisciplinaires dédiées à la recherche sur les francophones (*Cahiers franco-canadiens de l'Ouest* en 1989, *Francophonies d'Amérique* en 1991, *Minorités linguistiques et société* en 2012). Malgré ces développements, relativement peu de recherches universitaires ont été menées sur les Fransaskois. Des chercheurs communautaires, comme Richard

---

[2]   Date importante au Canada français, l'année 1960 marque le début symbolique de la Révolution tranquille, au cours de laquelle l'Église commence à céder la place à l'État en tant que principale force organisatrice de la vie collective des francophones (Belliveau et Boily, 2005). Avec l'émergence de nouvelles institutions d'enseignement supérieur laïques, allant de l'Université Laurentienne à l'Université de Moncton, en passant par le Centre d'études bilingues de Regina, la recherche universitaire sur les communautés francophones, et en partenariat avec elles, commence aussi à connaître un essor.

Lapointe et d'autres, ont partiellement comblé cette lacune (Lapointe et Tessier, 1986; Gareau, 1990; Lundlie, 1999).

La communauté fransaskoise rassemble des individus qui s'identifient à la francophonie et qui contribuent à la vitalité de la langue française dans la province de la Saskatchewan. Elle comprend non seulement des personnes de langue maternelle française, mais tous ceux et celles qui parlent le français et qui choisissent de s'associer à la communauté (ACF, 2006). Près de 5 % de la population de la Saskatchewan parlent le français, tandis que moins de 2 % ont le français comme langue maternelle. Depuis longtemps minoritaire en Saskatchewan, la communauté fransaskoise a évolué parallèlement à l'urbanisation dans les années 1960 et à l'arrivée d'immigrants d'origines diverses. Bien que la majorité des Fransaskois et des Fransaskoises habitent dans des centres urbains, soit Regina, Saskatoon, Prince Albert et Moose Jaw, certains secteurs ruraux de la province ont une présence francophone importante, notamment au nord dans les environs de Bellevue, au sud-est près de Bellegarde et au sud-ouest autour de Gravelbourg (FCFA, 2009: 2).

Éparpillés sur un vaste territoire et avec un poids démographique faible, les Fransaskois représentent une des plus petites communautés francophones en situation minoritaire au Canada (Marmen et Corbeil, 2004). Sa petitesse se mesure non seulement par son faible poids démographique, mais aussi par son rapport de force limité face à l'État (Dubois, 2018). Les Fransaskois cherchent néanmoins à s'épanouir pleinement en français, comme l'atteste la vision énoncée dans le plan de développement global de la communauté: «Nous, Fransaskoises et Fransaskois, souhaitons assumer pleinement notre citoyenneté dans son sens large d'appartenance à notre culture, à notre communauté et à notre pays, mais aussi dans un esprit d'inclusion et d'ouverture sur les autres peuples et les autres cultures» (ACF, 2016: 3).

De récentes recherches menées dans les communautés francophones montrent comment les partenariats communauté-université peuvent contribuer à l'épanouissement de celles-ci. Dans le contexte francophone canadien, ces partenariats ont approfondi notre compréhension des luttes scolaires, de la formation des jeunes professionnels, de l'épanouissement des arts, pour ne donner que quelques exemples (voir Allaire, Dorrington et Wade, 2017). Ces connaissances coconstruites servent à outiller les communautés francophones pour que ces dernières puissent générer des solutions innovantes en fonction de leurs besoins (Cardinal et Forgues, 2014). Afin d'examiner l'effet de certaines rencontres entre les milieux universitaire et communautaire et d'en favoriser de nouvelles, il est pertinent de dresser d'abord l'état des lieux de la production de connaissances liées à la communauté fransaskoise.

Méthodologie

Cette étude présente un aperçu qualitatif et quantitatif de l'état des connaissances liées à la Fransaskoisie depuis 1960. À cette fin, nous avons créé un répertoire de publications scientifiques et communautaires consacrées aux francophones de la Saskatchewan, jadis connus sous le nom de Franco-Canadiens de la Saskatchewan[3]. Cette communauté regroupe des francophones de diverses souches, principalement européenne, nord-américaine et africaine, qui, depuis le XIXᵉ siècle, ont tendance à se distinguer d'autres peuples «franco-parlants» des Prairies, notamment des Métis (Dorrington et Sarny, 2014). Nous adoptons une définition inclusive des Fransaskois, qui reflète celle que s'est donnée la communauté pour inclure tous ceux et celles qui contribuent à la vitalité de la langue française dans la province de la Saskatchewan (ACF, 2006).

Afin de constituer le corpus de connaissances, nous avons d'abord dépouillé les archives du Centre canadien de recherche sur les francophonies en milieu minoritaire. Financé par Patrimoine canadien, le Centre a été fondé en 2005 au sein de ce qui était alors l'Institut français de l'Université de Regina. Les archives du Centre comprennent surtout des enregistrements d'événements (colloques et conférences) qu'il a commandités et des études portant sur la Saskatchewan française ainsi que sur les francophonies canadiennes et internationales vivant en situation minoritaire. Par la suite, nous avons effectué des recherches dans les catalogues des bibliothèques des universités de Regina et de la Saskatchewan[4]. Nous avons aussi effectué une recherche pour toutes les sources en français traitant de la Saskatchewan dans la base de données Érudit.

---

[3]   Pour une analyse de l'évolution du nom que s'est donné cette communauté, voir Roussel-Beaulieu (2005).

[4]   Les mots clés utilisés étaient les suivants: francophones, Saskatchewan, Fransaskois, *French Canadian Saskatchewan, history Saskatchewan* (en ciblant seulement les sources rédigées en français), Éditions Louis Riel, Saskatchewan Franco-Canadiens, Association franco-canadienne.

Il est à noter que nous n'avons pas inclus de chapitres de livres dans notre corpus. Étant donné que les collectifs dans lesquels ils sont publiés ne sont pas nécessairement associés à la Saskatchewan dans les catalogues des bibliothèques, il aurait été difficile d'en faire une recension complète. Vu que la présente étude se concentre sur les études universitaires et communautaires, nous avons également exclu les rapports gouvernementaux.

Le corpus comprend plus de 430 publications parues entre 1960 et 2018. Celles-ci sont répertoriées en fonction de six caractéristiques : l'auteur, le titre, la date de publication, l'éditeur, le format de l'ouvrage et le thème abordé. Le corpus inclut plus de 220 articles scientifiques, 66 monographies, 69 enregistrements de conférences vidéo et audio et plus de 30 mémoires de maîtrise et thèses de doctorat. Plus de 250 auteurs sont représentés dans le corpus. Afin de mieux comprendre l'état de la recherche sur la Fransaskoisie, nous effectuons une analyse qualitative du corpus dans les sections qui suivent.

Un survol des connaissances sur la Fransaskoisie : le résultat d'une recherche engagée

Notre analyse du corpus révèle la présence d'une recherche engagée, qui fait place aux savoirs des Fransaskois. Comme l'explique Michel Dorais (2016 : 4), le savoir engagé n'est pas conçu comme une fin, mais comme un outil qui favorise la compréhension nécessaire pour intervenir sur des problèmes. « C'est un savoir tourné vers l'action, un savoir sur lequel on peut s'appuyer pour proposer ou amorcer des changements, tout en suscitant la mobilisation nécessaire pour ce faire. C'est un savoir destiné à être partagé, donc vulgarisé, afin d'être accessible aux personnes, aux populations ou aux groupes concernés » (2016 : 4). Inspirés par les problématiques auxquelles est confrontée la communauté, plusieurs travaux reflètent cet engagement du chercheur de produire des connaissances qui serviront par la suite aux Fransaskois.

Les années 1960 et 1970 marquent le début de la recherche universitaire portant sur, comme on les appelait à l'époque, les Franco-Canadiens de la Saskatchewan. Il ne s'agit pas d'un phénomène unique à la Saskatchewan. Grâce à l'expansion des universités amorcée dans l'après-guerre, la recherche sur les francophones se professionnalise (Massicotte, 2005 ; Dupuis et Savard, 2016). Le chercheur s'inscrit ainsi « dans une culture et participe aux luttes qui agitent la société plus large» (Massicotte, 2005 : 147). Les années 1960 au Canada francophone, comme ailleurs dans le monde occidental, sont une période de contestation et de remise en cause des certitudes établies. Au Québec, des chercheurs, souvent associés à l'Université de Montréal, mettent leurs connaissances au service de l'indépendantisme (Lamarre, 1993)[5]. Dans les francophonies en situation minoritaire, les chercheurs se consacrent, pour leur part, à la revalorisation de leurs communautés respectives (Massicotte, 2005 ; Dorais, F.-O., 2016).

Dans l'Ouest canadien, les historiens et les sociologues ne font pas exception. Ainsi, en Saskatchewan, des chercheurs émergents s'intéressent de plus en plus à cette question à partir des années 1960. Le jeune historien Raymond Huel (1969) consacre son mémoire de maîtrise à l'action politique de l'organisme porte-parole de la communauté, l'Association culturelle franco-canadienne de la Saskatchewan, de 1912 à 1934 en se basant sur une recherche exhaustive des sources archivistiques et médiatiques de l'époque. Ces recherches viennent s'ajouter à la publication d'un ouvrage commémoratif pour marquer le cinquantenaire de l'organisme (ACFC, 1962). Huel ne sera pas le seul à s'intéresser à cette communauté minoritaire. Les Franco-Canadiens de la Saskatchewan font l'objet de plusieurs mémoires de maîtrise et thèses de doctorat, réalisés principalement dans des universités de l'Ouest canadien (Croteau, 1967 ; Tessier, 1974 ; Huel, 1975 ; Painchaud, 1976 ; Ennis, 1977). Avec des thèmes qui recoupent la colonisation des terres et la survivance culturelle, notamment dans le domaine de l'éducation, ces travaux jettent les bases d'une littérature scientifique émergente. Notons aussi le rapport préparé pour le Secrétariat d'État par le jeune sociologue Wilfrid Denis (1970), qui s'interroge sur la viabilité d'une francophonie saskatchewanaise au moment où les jeunes Occidentaux s'immergent de plus en plus dans une culture commune anglo-américaine.

C'est dans ce contexte qu'apparaît une série d'études qui portent sur divers aspects des communautés francophones de la province, notamment le parler local. Des études sur Saint-Isidore de Bellevue, Willow Bunch, Zénon Park et Gravelbourg sont publiées par un membre du clergé (Gaudet, 1977) et des chercheurs universitaires (Jackson et Wilhelm,

---

[5]   Notons que l'École de Montréal, personnifiée par les historiens Maurice Séguin, Guy Frégault et Michel Brunet, puise ses racines dans les années 1940 et 1950.

1971 ; Wilhelm, 1976 ; Tessier, 1974). Ces études universitaires sont souvent menées en collaboration avec les communautés. C'est notamment le cas de la monographie sur Zénon Park, réalisée dans le cadre du projet Saskébec, où des résidents du village fransaskois organisent des échanges par satellite avec les résidents du village québécois de Baie-Saint-Paul. L'étude du « local » devient donc un terrain partagé entre les chercheurs professionnels et les acteurs communautaires.

Une des premières synthèses qui présentent les francophones de la Saskatchewan aux chercheurs canadiens est intitulée « Les Franco-Canadiens de la Saskatchewan : une minorité ignorée », de Michael Jackson (1972) de l'Université de Caen, publiée dans la *Revue des études canadiennes*. Dans un survol de l'histoire, du parler, des défis contemporains ainsi que des perspectives d'avenir des Franco-Canadiens de la Saskatchewan, Jackson dresse un portrait « réaliste » de la collectivité, prédisant « l'émergence d'une élite bilingue où des anglophones avertis partageraient les fruits du bilinguisme avec une nouvelle génération de francophones instruits » (1972 : 18).

Bien que les chercheurs qui s'intéressent à la Fransaskoisie soient souvent des « intellectuels engagés » (Dorais, M., 2016) qui cherchent explicitement à revitaliser et à soutenir les luttes politiques des communautés à l'étude, leurs travaux demeurent largement descriptifs. Ils s'inspirent assez peu des cadres théoriques qui orientent les travaux de leurs collègues ailleurs au Canada francophone dans les années 1960 et 1970, notamment le marxisme et la pensée décolonisatrice (Massicotte, 2005 ; Mills, 2010 ; Dennie, 1978). Contrairement à leurs collègues qui se positionnent par rapport à un vaste corpus construit au début du XXᵉ siècle, souvent pour mieux le critiquer (Massicotte, 2005 ; Rudin, 1997), les chercheurs universitaires et communautaires fransaskois sont véritablement en train de défricher un nouveau champ d'études. Par conséquent, ils s'attardent à la problématique qui paraît la plus pressante, soit la survie même de la collectivité comme entité distincte.

La question de la survie ethnoculturelle domine toujours les travaux scientifiques sur la Fransaskoisie dans les années 1980. Peut-être est-ce dû, au moins en partie, à la collaboration intime entre chercheurs universitaires et acteurs communautaires, qui travaillent sur les mêmes problématiques. Prenons le cas de la Société historique de la Saskatchewan, fondée en 1978 et présidée par le professeur d'histoire de l'Université de Regina, André Lalonde, qui lance ses premiers projets d'envergure avec divers acteurs communautaires. La synthèse historique, *Les Franco-Canadiens de la Saskatchewan* (1986), publiée par la Société historique et rédigée par Richard Lapointe et Lucille Tessier, demeure encore un ouvrage de référence, bien qu'elle soit axée sur les thèmes traditionnels de l'éducation, de la colonisation, de la religion et de l'oppression linguistique. Des chercheurs universitaires, dont Wilfrid Denis (1983), Paul Genuist (1987), Raymond Huel (1986, 1988) et Alan Anderson (1985a; 1985b), reprennent ces thèmes dans des études plus ciblées.

On voit aussi proliférer des études communautaires sur Saint-Brieux (Gallais, 1981), Gravelbourg (Chabot, 1981) et Ponteix (Lacoursière-Stringer, 1981). Le sociologue Jean-Guy Quenneville (1980a) dresse un premier portrait des relations entre Métis, Premières Nations et colons dans son bref portrait de Jean-Louis Légaré, «fondateur» de Willow Bunch. Quenneville (1980b) fait aussi paraître une nouvelle synthèse sur l'histoire, la démographie et la langue des Fransaskois pour le compte de l'Unité de recherches pour les études canadiennes-françaises à l'Université de la Saskatchewan.

À ces études s'ajoutent des travaux qui portent sur la culture. Dans les années 1980, il s'agit surtout d'un domaine dominé par les acteurs communautaires. Michel Marchildon (1989) survole la scène littéraire pour le compte de la Commission culturelle fransaskoise; Gérald Boily (1986) présente les Éditions Louis Riel dans la revue culturelle *Liaison;* et les historiens communautaires Laurier Gareau (1990) et Albert Dubé (1990) font paraître des histoires de la presse et de la radio en Saskatchewan française.

À partir des années 1990, on remarque que l'éducation occupe une place prépondérante dans les études consacrées aux Fransaskois. Aux recherches pionnières en pédagogie sur la formation de professeurs bilingues, vers la fin des années 1980, viendront s'ajouter des études en sciences de l'éducation qui paraîtront au cours des décennies subséquentes (Gervaise *et al.,* 1989; Cox, 1995). Plusieurs chercheurs qui s'intéressent à l'éducation militent activement pour la gestion scolaire des Fransaskois. Wilfrid Denis (1991), par exemple, explore les contours de la conjoncture politique du début des années 1990 afin de clarifier les possibilités d'action pour les membres de la communauté. Lorsque les Fransaskois auront gain de cause en 1993, le professeur en sciences de l'éducation Richard Julien (1995) fait le bilan de la lutte pour la gouvernance scolaire dans « The Legal Recognition of All-French Schools in Saskatchewan: A Long and Often Difficult Odyssey », qui paraît dans *Canadian Ethnic Studies*. Par ailleurs, des acteurs communautaires impliqués dans le milieu publient plusieurs articles qui explorent les défis de l'intégration des ayants droit (anglophones) dans le réseau scolaire fransaskois (Saint-Pierre et Gauthier, 1992).

D'importantes études monographiques sur divers aspects de la Fransaskoisie voient aussi le jour dans les années 1990. Celles-ci incluent le mémoire de maîtrise d'Yvette Boulay (1998), qui offre la première étude sociolinguistique substantielle du « fransaskois[6] », l'étude anthropologique de Gisèle Marcotte (1994) sur les stratégies de survivance culturelle à Zénon Park, à Saint-Isidore de Bellevue et à Marcelin et le mémoire de Colette Simonot (1998) sur l'identité culturelle et le style musical du groupe Hart-Rouge. La musique, la littérature et le théâtre fransaskois sont aussi analysés régulièrement dans la revue *Liaison* (voir, par exemple, Tremblay, 2002 ; Fave, 2007).

En raison de leurs recherches, des historiens universitaires et communautaires deviennent des acteurs clés dans la construction d'une mémoire collective en Fransaskoisie. Comme le rappellent Blake et Hayday (2018), cette entreprise mémorielle, édifiée à partir d'événements commémoratifs suscitant une large participation citoyenne, contribue à assurer l'unité d'un groupe nationalitaire. Le centième anniversaire du Collège Mathieu inspire la publication de son histoire institutionnelle, *Une pépinière de chefs*, rédigée par Lise Lundlie en 1999 à partir d'un mémoire de maîtrise (1993). Des textes de commémoration de la culture fransaskoise paraissent aussi dans le collectif dirigé par Wilfrid Denis, *50 ans de radio : tant de choses à se dire* (2002), pour marquer le cinquantenaire de la radio française dans la province, et dans *L'anthologie littéraire fransaskoise et de l'Ouest*, préparée par Laurier Gareau, Monique Genuist et Bernard Wilhelm (2000).

Depuis les années 2000, les chercheurs universitaires contribuent à la prolifération d'études sur l'immigration et l'inclusion dans le contexte fransaskois. Laurie Carlson Berg (2010, 2011a, 2011b), Wilfrid Denis (2010) et Nicole Gallant (2010a, 2010b) sont des pionniers dans ce

---

[6]   Il s'agit toujours d'un domaine de recherche actuel, notamment grâce aux travaux de Hallion *et al.* (2011) et de Papen et Hallion (2014).

domaine. Le livre de Michael Poplyansky et d'Abdoulaye Yoh (2018), *Contre toute attente. Histoire de la présence francophone à l'Université de Regina*, présente cette dernière comme un microcosme de la transformation identitaire fransaskoise. La construction identitaire est aussi au cœur des études de la psychologue sociale Sophie Gaudet (2007).

Plusieurs chercheurs qui s'intéressent à la Fransaskoisie participent à la production de savoirs engagés en proposant des avenues pour agir sur le monde qui les entoure. S'inspirant de la sociologie critique, où l'on examine les structures institutionnelles afin de mettre en évidence d'éventuels rapports de pouvoir ou de domination, Laurie Carlson Berg (2011a) propose des pistes concrètes – surtout l'adoption de pratiques pédagogiques « anti-oppressives » – afin de consolider la volonté d'inclusion, manifestée par l'organisme porte-parole des francophones de la Saskatchewan, l'Assemblée communautaire fransaskoise, à l'aube des années 2000 (ACF, 2006). De son côté, Nicole Gallant (2010b) cherche à utiliser l'expérience saskatchewanaise afin de favoriser l'intégration des immigrants dans le réseau associatif acadien, notamment en important le modèle d'élections fransaskoises ouvertes à tous les franco-parlants de la province, au Nouveau-Brunswick.

Remontant plus loin dans le temps, Dominique Sarny (2011), Pierre-Yves Mocquais (2011) et Jean-François Simon (2003) publient aussi des ouvrages sur l'immigration (notamment d'origine bretonne) en Saskatchewan au début du xxᵉ siècle. Le rapport entre francophones et Métis fait aussi l'objet d'une plus grande attention de la part des chercheurs, avec la parution de deux numéros spéciaux des *Cahiers franco-canadiens de l'Ouest* en 2002. Sarny ainsi que son collègue Peter Dorrington prétendent même que l'étude des rapports complexes entre Métis et francophones en Saskatchewan, de même que les exercices de dialogue entre les membres de ces deux communautés, peuvent servir de modèle à d'autres peuples vivant en situation de conflit (ou d'ignorance mutuelle) malgré une histoire commune (Dorrington et Sarny, 2014).

C'est durant cette période plus récente que le champ de la géographie humaine connaît un certain développement, grâce à plusieurs travaux importants, dont ceux de Karine Laviolette (2004, 2006) sur les possibilités de développement touristique en Fransaskoisie et de Carol Léonard (2010a ; 2010b) sur la toponymie. On constate aussi une recrudescence d'intérêt pour le politique en Fransaskoisie. Plusieurs études historiques y sont au moins partiellement consacrées (St-Pierre, 2014; Poliquin, 2013). La thèse de doctorat de Dustin McNichol (2016) se penche sur la lutte des francophones de la Saskatchewan pour leurs droits linguistiques depuis 1870. En même temps, le mémoire de maîtrise de Catherine De Pauw (2013) et les travaux de Janique Dubois (2013, 2017, 2018) s'intéressent à la gouvernance communautaire fransaskoise. Cette dernière établit aussi des parallèles avec les stratégies de gouvernance adoptées par le peuple métis. Le réseau institutionnel fransaskois profite alors de son expertise pour développer des stratégies qui favorisent la participation citoyenne (Radio-Canada, 2014).

La diversification de la recherche, en symbiose avec l'évolution de la Fransaskoisie

Notre analyse du corpus révèle une diversification des thèmes explorés par les chercheurs scientifiques et communautaires depuis les années 1960. Nous avons regroupé les ouvrages selon dix thèmes récurrents dans le corpus, soit le rapport à l'Autre, la santé, les causes judiciaires et politiques, les langues et l'identité, l'économie et la géographie, les arts et la culture, les femmes, l'éducation, l'étude historique et les (auto)biographies.

Durant les premières décennies à l'étude, le nombre de thèmes abordés était plus restreint. Entre 1960 et 1980, on ne retrouve aucun ouvrage (auto)biographique ni d'études sur la santé ou les arts et la culture. Durant cette période, 44 % des ouvrages s'intéressaient à l'économie et à la géographie, comparativement à 10 % entre 2000 et 2018. En effet, ce sont souvent les histoires locales, consacrées aux villages francophones d'un peu partout en province, qui représentent la plus grande partie de la littérature consacrée à la Fransaskoisie. Rédigés dans bien des cas par des acteurs communautaires (Gaudet, 1977) à une époque où les chercheurs professionnels commençaient à peine à s'intéresser aux Fransaskois, ces travaux occupent initialement une place importante dans la littérature. Avec le nombre croissant de chercheurs professionnels qui se consacrent au moins partiellement aux Fransaskois, ces travaux occupent désormais une place beaucoup plus grande.

Par ailleurs, le niveau d'intérêt pour chacun des thèmes mentionnés évolue en fonction du contexte historique. Par exemple, on note la publication d'un plus grand nombre d'ouvrages (auto)biographiques dans les années 1990 et au début des années 2000. Avec la dernière génération des pionniers sur le point de s'éteindre, ces ouvrages explorent le vécu des représentants de cette génération, parmi lesquels on compte Alyre Sirois (1991), Raymond Denis (Gareau, 1991), Médéric Gareau (1999), Albert-O. Dubé (2003), Ernest Bourgault (2006) et Roland Pinsonneault (Leclerc, 2001).

Le foisonnement de la scène culturelle fransaskoise à la fin des années 1970 entraîne aussi la publication d'une série de travaux en critique littéraire. Comme l'attestent les travaux de François Paré dans *Les littératures de l'exiguïté* (1992), entre autres, il s'agit d'un phénomène pancanadien. Depuis l'étiolement du «Canada français», les francophones du Canada cherchent à développer leur propre scène culturelle, que ce soit dans le domaine de la littérature, du théâtre ou de la musique. Ces cultures de «l'exiguïté» (Paré, 1992) ouvrent la voie au développement de nouveaux champs d'études universitaires. La Saskatchewan s'inscrit bien dans cette tendance. Si, pendant les années 1980, les travaux dans ce domaine sont surtout réalisés par des acteurs communautaires, la «culture fransaskoise» deviendra un champ de recherche universitaire à partir des années 1990 (Simonot, 1998 ; Clarke 1996 ; Forsyth, 2012).

Les débats sociopolitiques influent aussi sur la production des connaissances liées à la Fransaskoisie. Par exemple, dans les années 1990, on voit apparaître une série d'ouvrages sur la langue et l'identité ainsi que sur l'éducation. Ceux-ci incluent des études sur le bilinguisme, l'assimilation et la vitalité de la culture fransaskoise (Boulay 1998 ; Cox, 1992, 1995). Des recherches plus pointues sur la réalité scolaire des Fransaskois et le système scolaire francophone reflètent la préoccupation pour les luttes en faveur de la gestion scolaire durant cette période (Julien, 1995 ; Bilodeau, 1992 ; Denis, 1991).

À partir des années 2000, un intérêt accru pour l'immigration et le rapport à l'Autre est notable dans les objets de recherche (Carlson Berg, 2010, 2011a, 2011b ; Denis, 2010 ; Gallant, 2010a, 2010b). Cela s'explique, au moins en partie, par la diversification de la communauté fransaskoise, notamment avec l'arrivée importante d'immigrants de différentes origines. Les rapports interculturels deviennent donc prioritaires. Cet intérêt se manifeste surtout dans la foulée de la Commission sur l'inclusion de l'Assemblée communautaire fransaskoise (2006). Menée à la suite de la participation controversée des élèves d'immersion aux Jeux fransaskois de 2005, la Commission conclut que chaque personne qui vit une partie de sa vie en français en Saskatchewan devrait être invitée à se considérer comme membre de la communauté fransaskoise. Les chercheurs se donnent alors pour mission de consolider cette vision, que ce soit dans le système scolaire ou dans le réseau associatif (Carlson Berg, 2011a, 2011b, Gallant, 2010).

Parallèlement, les chercheurs s'intéressent aux rapports entre les francophones de la Saskatchewan et les peuples autochtones, dont le peuple métis. La cause Caron, en particulier, dans laquelle on revendique le bilinguisme juridique en Saskatchewan et en Alberta en se basant sur le pacte de la Couronne signé avec les Métis en 1869, incite les chercheurs à produire des études à ce sujet, qui sont ensuite reprises dans le cadre de la procédure judiciaire. Le colloque «Le statut du français dans l'Ouest canadien : la cause Caron», organisé par l'Institut français de l'Université de Regina et l'Association des juristes d'expression française de la Saskatchewan en 2010 en collaboration avec l'Assemblée communautaire fransaskoise, l'Association canadienne-française de l'Alberta et la Fédération des juristes d'expression française de *common law*, en constitue un bel exemple. Dans les actes du colloque, publiés en 2014, on discute des enjeux juridiques, historiques et sociologiques soulevés par cette cause (Bouffard et Dorrington, 2014).

La diversification des thèmes étudiés dans le corpus va de pair avec la multiplication des méthodes de recherche. Alors que la sociologie et l'histoire, à caractère empirique et descriptif, sont des approches récurrentes à travers le temps, on observe désormais l'utilisation d'outils méthodologiques de diverses disciplines, dont la géographie humaine (Laviolette, 2004, 2006), l'ethnologie (Sarny, 2011), la politique publique (Dubois, 2017), la psychologie sociale (Gaudet et Clément, 2005), le droit (Bouffard et Dorrington, 2014) et la critique littéraire (Forsyth, 2012). Bien que les méthodes de recherche se diversifient, on constate une faible présence d'études qui emploient des méthodes de recherche quantitatives. Les méthodes privilégiées demeurent les entrevues et l'analyse du discours. Par exemple, Carlson Berg (2011a) analyse des entrevues afin de déterminer quelles sont les barrières à l'inclusion des nouveaux arrivants dans la communauté scolaire fransaskoise. De façon semblable, Gallant (2010b) étudie les représentations de l'immigrant véhiculées dans le discours officiel des organismes de la communauté.

Malgré une production intellectuelle de plus de plus diversifiée, il demeure quelques parents pauvres de la recherche sur la Fransaskoisie. La situation des Fransaskoises vient immédiatement à l'esprit ; à part quelques mémoires de maîtrise (Verville, 2006 ; Kanyib, 2017), le thème a été largement ignoré puisque sept ouvrages du corpus seulement portent explicitement sur les femmes. Il s'agit d'une tendance généralisée en études franco-canadiennes (Cardinal, 1992). Même en Acadie, qui traverse une période « révisionniste » à partir du début des années 1980 jusqu'aux années 2000 (Massicotte, 2005), au cours de laquelle les chercheurs cherchent délibérément à évacuer « la question nationale » pour privilégier des études à caractère socioéconomique, la catégorie « femme » ne réussit pas à s'imposer (Basque, 2000).

Par ailleurs, en Saskatchewan, la recherche sur la santé et les services sociaux, fortement encouragée par le réseau institutionnel, est aussi en pleine construction. On recense une dizaine d'études depuis les années 2000, dont des ouvrages qui se sont attardés sur la gouvernance de la santé en milieu francophone minoritaire (Boily et Gagné, 2013). Les plus récents ouvrages s'intéressent davantage aux inégalités sociales et à la prestation des services de santé en français (Benoit *et al.*, 2012).

Le rôle des universités dans la production des connaissances

Notre analyse du corpus révèle que les universités canadiennes jouent un rôle fondamental dans la production des connaissances liées aux Fransaskois. Dans leur ouvrage marquant, *The New Production of Knowledge*, Gibbons *et al.* observent que la production des connaissances n'est plus l'apanage exclusif du milieu universitaire, mais émerge de plus en plus selon son contexte d'application (1994 : 85). En même temps, le rôle des universités dans la production des connaissances est réaffirmé par des auteurs comme Etzkowitz et Leydesdorff (1997), qui perçoivent l'effet catalyseur de ces institutions dans leurs relations avec les gouvernements et les industries. Ce constat est repris dans l'étude de Benoît Godin et d'Yves Gingras (2000) sur le rôle des universités canadiennes dans ce domaine. Ils remarquent que, malgré la diversification des lieux de production des connaissances, les universités canadiennes maintiennent un rôle prépondérant dans la recherche scientifique grâce à des collaborations sectorielles.

En effet, les universités occupent une place centrale dans la formation des futurs chercheurs. Tel que nous l'avons mentionné antérieurement, l'émergence de la littérature scientifique sur les Fransaskois dans les années 1970 ne peut être séparée de l'expansion des universités dans les années d'après-guerre. Notre analyse du corpus révèle une forte présence, jusqu'à nos jours, d'ouvrages préparés par de jeunes chercheurs. Les mémoires de maîtrise et les thèses de doctorat représentent presque 10 % des ouvrages du corpus.

Les universités canadiennes ont aussi contribué à cultiver des collaborations de recherche qui portent sur la francophonie en milieu minoritaire, sur le plan individuel et institutionnel. Le réseau des chercheurs s'intéressant à la Fransaskoisie et aux communautés francophones de l'Ouest canadien s'institutionnalise avec la fondation du Centre d'études franco-canadiennes de l'Ouest (CEFCO) à Saint-Boniface en 1978. Des colloques annuels, qui regroupent des chercheurs principalement de l'Ouest canadien, sont organisés à partir de 1981. Le colloque a lieu pour la première fois en Saskatchewan en 1983 au Centre d'études bilingues de l'Université de Regina. Les participants abordent divers thèmes dont le parler fransaskois, l'histoire de l'éducation, l'histoire religieuse et la critique littéraire. L'événement est aussi marqué par le témoignage personnel de Roger Motut, professeur à l'Université de l'Alberta, né dans le village saskatchewanais de Hoey en 1917. Les mêmes tendances thématiques se manifestent au cours des colloques subséquents. Le CEFCO lance sa propre revue arbitrée, *Les cahiers franco-canadiens de l'Ouest* en 1989. Les articles qui y sont publiés rejoignent généralement les thèmes abordés lors des colloques du CEFCO ; nous y constatons cependant quelques articles supplémentaires portant sur des questions de nature économique. Dans les années 1980 et 1990, les ouvrages associés au CEFCO représentent plus de la moitié du corpus.

Le rôle des universités dans l'institutionnalisation de la production de connaissances liées aux Fransaskois devient particulièrement évident dans les années 1980 avec la mise sur pied de groupes de recherche francophones, aux universités de Regina et de la Saskatchewan. Fondée par Jean-Guy Quenneville, l'Unité de recherches pour les études canadiennes-françaises à l'Université de la Saskatchewan mène plusieurs recherches dans des domaines variés, comme la politique (Genuist, 1987), la sociologie (Anderson, 1985a), la démographie (Anderson, 1985b) et l'éducation (Denis et Li, 1983). Toutefois, faute de financement, cet organisme n'a pu survivre après les années 1990 et s'est trouvé marginalisé par rapport à l'Université de Regina.

La présence institutionnelle francophone à l'Université de Regina remonte à la création en 1968[7] du Centre d'études bilingues. Bien qu'il n'ait pas de statut facultaire, le Centre réunit des professeurs issus de divers départements qui s'intéressent aux francophones de la Saskatchewan. Dès ses premières années, il facilite la réalisation d'études avec la participation et l'appui d'acteurs communautaires. Mentionnons, notamment, la collaboration du Centre au programme de communication Sakébec, qui permettait au village de Zénon Park de communiquer par satellite avec le village de Baie-Saint-Paul (Québec). Cette collaboration a mené à la rédaction d'une étude monographique consacrée à ce village fransaskois (Wilhelm, 1976)[8].

La recherche sur les Fransaskois s'institutionnalise à l'Université de Regina en 1983; quatorze professeurs, de diverses disciplines, fondent alors un groupe de recherche voué à la Fransaskoisie. Ils se joignent au Regroupement de recherche sur la civilisation canadienne-française, qui inclut des universitaires d'un peu partout au Canada francophone. En plus de faciliter la tenue des colloques du CEFCO à Regina[9], le groupe de recherche du Centre d'études bilingues décroche un contrat de plus de 140 000 $ afin d'étudier les effets de l'informatisation sur la société francophone de l'Ouest canadien pour le compte du ministère fédéral des Communications. Toujours en 1983, l'Université de Regina lance son programme de baccalauréat en éducation de langue française. Les professeurs affectés au programme joueront un rôle clé dans la réalisation d'études traitant de la pédagogie en milieu minoritaire. (Gervaise *et al.*, 1989).

Puis, en 1995, le professeur de littérature Pierre-Yves Mocquais fonde le Centre d'études sur le Canada français et la francophonie, au sein de ce qui était alors l'Institut de formation linguistique (IFL)[10].

---

[7]   À l'époque, c'était encore le campus de Regina de l'Université de la Saskatchewan.

[8]   Un projet similaire, qui reliera les villages de Gravelbourg et de Lefaivre (Ontario), sera mené en 1981.

[9]   Archives de l'Université de Regina, Fonds Centre d'études bilingues, «Bilingual Centre, Final Report 1984»; «Bilingual Studies Centre Report to the Board of Governors, January 1987».

[10]   Les bases de l'IFL sont jetées en 1988 avec la décision de la Cour suprême dans la cause Mercure. Financé au départ pour une période de cinq ans par les gouvernements de Saskatchewan et du Canada, l'IFL a pour mandat de promouvoir l'éducation postsecondaire en français en Saskatchewan ainsi que d'offrir de la formation dans des langues étrangères. Le financement garanti prend fin en 1993, et l'IFL doit désormais subsister grâce à des octrois annuels. Voir Poplyansky et Yoh (2018).

Financé par des octrois annuels du gouvernement du Canada qui ont succédé à l'entente Canada-Saskatchewan de 1988, l'Institut offre un certain soutien institutionnel au Centre, notamment l'accès à une bibliothèque qui se trouve dans les locaux de l'Institut. Surtout, ayant reçu des subventions de plus de 200 000 $ de la part du Conseil de recherches en sciences humaines du Canada, de Patrimoine canadien et de l'Université de Regina, Mocquais a les ressources financières pour établir un important programme de recherche. Il s'intéresse aux « pratiques culturelles de la Saskatchewan française », en particulier à celles adoptées par les immigrants d'origine bretonne. Tout comme son collaborateur, l'ethnologue Dominique Sarny, Mocquais publie plusieurs travaux dans ce domaine dans les années 2000. Le Centre développe des partenariats avec divers intervenants de la communauté fransaskoise en offrant un service de recherche au réseau institutionnel fransaskois pour que les organismes n'aient pas à chercher une expertise externe (Poplyansky et Yoh, 2018).

En 2002, l'Institut de formation linguistique est fermé et le Centre d'études sur le Canada français et la francophonie disparaît avec lui. Sarny accède à la tête du nouvel Institut français, dont la mission est, initialement, loin d'être clairement définie. Toutefois, l'Institut français réussit à s'inscrire dans le Plan d'action fédéral pour les langues officielles de 2003-2008. Avec l'argent de Patrimoine canadien, l'Institut met sur pied un nouveau centre de recherche : le Centre canadien de recherche sur les francophonies en milieu minoritaire (CRFM). Le CRFM dirige, de façon multidisciplinaire et interinstitutionnelle, un programme de recherche qui met en lumière l'expérience de la communauté fransaskoise, tout en s'ouvrant à celles des autres francophonies minoritaires canadiennes et internationales, ainsi qu'à celles d'autres communautés minoritaires, notamment les Premières Nations et les Métis. Sous la direction de Sarny et de son successeur, Peter Dorrington, le rapprochement interculturel occupe une place centrale dans les travaux du CRFM. Plutôt que de voir le fait « minoritaire » comme un obstacle à contourner, Dorrington et Sarny, à l'instar de plusieurs autres membres de l'intelligentsia franco-canadienne, y perçoivent une invitation au métissage, où chaque individu reconnaîtrait plusieurs « fils » à sa trame identitaire (Poplyansky et Yoh, 2018)[11].

---

[11]   Voir, par exemple, Heller (2011). La capacité d'un individu « métissé » de résister à la « culture mondialisée anglo-américaine » reste débattue par les chercheurs. Voir Thériault (2007).

Tout comme le Centre d'études sur le Canada français et la francophonie avant lui, le CRFM met en valeur son engagement auprès de la communauté fransaskoise en offrant un service consultatif et des ateliers de recherche communautaires destinés à renforcer la capacité de recherche des organismes et des membres de la communauté (Bouffard, 2010 : 327). Dans la mesure où des représentants de la communauté fransaskoise sont impliqués dès la mise sur pied du programme de recherche, ainsi que dans la conception du projet, la collecte de données et la communication des résultats, l'Institut français et le CRFM participent conjointement à la réalisation de la recherche avec la communauté fransaskoise (Armstrong et Aslop, 2010).

Cet engagement dans les partenariats université-communauté se manifeste notamment par un concours annuel de subventions de recherche, qui existe depuis 2005 et qui accorde la priorité aux jeunes chercheurs et à des projets en lien avec les principaux axes de recherche du Centre. Des membres de la communauté fransaskoise (non universitaire) siègent avec des membres de la communauté universitaire au comité d'évaluation qui attribue les subventions. La prolifération de travaux sur la Fransaskoisie dans les années 2000 n'est pas étrangère à ce soutien financier. Les travaux de Nicole Gallant (2010a), de Janique Dubois (2018), de Laurie Carlson Berg (2011a), de Dustin McNichol (2016), entre autres, ont tous reçu une subvention du CRFM. Toutefois, faute de financement fédéral, le CRFM doit mettre le concours en veilleuse en 2016.

Conclusion : perspectives d'avenir
pour la recherche portant sur la Fransaskoisie

Afin de favoriser le développement de futurs partenariats entre chercheurs universitaires et acteurs communautaires en Fransaskoisie, il importe d'abord de préciser quelles sont les connaissances que nous possédons actuellement au sujet de cette communauté. Notre analyse de celles-ci révèle un corpus relativement divers. Plusieurs tendances qui se manifestent ailleurs au Canada francophone sont aussi présentes dans la production des savoirs liés à la Fransaskoisie. La littérature scientifique émerge véritablement dans les années 1970 et commence à s'institutionnaliser dans les années 1980. Depuis les dernières décennies, les thèmes qui ont trait au dialogue interculturel, notamment l'immigration, occupent l'attention des chercheurs. La question des rapports avec les peuples autochtones, en Saskatchewan, comme ailleurs au Canada, se retrouve aussi à l'ordre du jour.

Malgré le fait qu'il existe des publications importantes touchant à plusieurs domaines, les préoccupations ethnoculturelles ont tendance à évacuer d'autres aspects de la vie collective des Fransaskois. Cela est évident lorsqu'on se penche sur la condition des femmes en Fransaskoisie, qui a été largement ignorée par les chercheurs. Le champ des «études fransaskoises», contrairement aux études québécoises ou acadiennes, n'a pas véritablement traversé ce qu'on appelle communément une phase «révisionniste» ou «normalisatrice» (Rudin, 1997; Massicotte, 2005), dans laquelle les chercheurs essaient systématiquement de normaliser la société en question en se consacrant aux réalités socioéconomiques plutôt qu'aux débats identitaires. Bien que cette tendance ait été excessive, elle a eu le mérite de diversifier davantage le champ d'études. Comme l'écrivent Joel Belliveau et Patrick Noël (2016: 46), «si l'on observe sur le terrain le quotidien des francophones de Moncton, de Caraquet ou de Sudbury, on peut constater que si la langue et les revendications nationalitaires y sont *toujours* des préoccupations, elles n'y détiennent *jamais* le monopole du débat public».

De futurs partenariats communauté-université ont le potentiel de produire des connaissances encore plus diversifiées sur la Fransaskoisie qui, sans écarter la question identitaire, n'y seront pas complètement soumises. Si la tendance en place depuis les années 1960 se maintient, ces partenariats dépendent non seulement de la présence de chercheurs engagés, mais aussi de réseaux de chercheurs et d'institutions prêts à faciliter le partage des connaissances. Notre analyse de l'évolution des savoirs sur la Fransaskoisie révèle le rôle central de l'institutionnalisation de la recherche, notamment par le biais de groupes de recherche universitaires qui se consacrent à la francophonie et qui appuient la recherche engagée. Ces groupes de recherche sont néanmoins confrontés à des défis financiers qui, en plus de remettre en cause leur pérennité, nuisent au développement de partenariats. Malgré ces défis, nous observons une volonté, en place depuis les années 1960, chez les chercheurs universitaires et communautaires de prendre part à la production d'un savoir qui contribue à l'essor économique, culturel, social et politique des Fransaskois.

Bibliographie

ALLAIRE, Gratien, Peter DORRINGTON et Mathieu WADE (dir.) (2017). *Résilience, résistance et alliance: penser la francophonie canadienne différemment*, Québec, Les Presses de l'Université Laval.

ANDERSON, Alan (1985a). *Ethnic Identity Retention in Francophone Communities in Saskatchewan: A Sociological Survey*, Saskatoon, Unité de recherches pour les études canadiennes-françaises, Université de la Saskatchewan.

ANDERSON, Alan (1985b). *French Settlements in Saskatchewan: Historical and Demographic Perspectives*, Saskatoon, Unité de recherches pour les études canadiennes-françaises, Université de la Saskatchewan.

ARMSTRONG, Fiona, et Adrian ALSOP (2010). « Debate: Co-Production Can Contribute to Research Impact in the Social Sciences », *Public Money and Management*, vol. 30, n° 4 (juillet), p. 208-210.

ASSEMBLÉE COMMUNAUTAIRE FRANSASKOISE (2006). *La Commission sur l'inclusion dans la communauté fransaskoise: de la minorité à la citoyenneté*, Regina, ACF.

ASSEMBLÉE COMMUNAUTAIRE FRANSASKOISE (2016). *Plan de développement global de la communauté fransaskoise 2010-2020*, Regina, ACF.

ASSOCIATION CATHOLIQUE FRANCO-CANADIENNE DE LA SASKATCHEWAN (1962). *Cinquantenaire de l'A.C.F.C., 1912-1962*, Regina, ACFC.

BASQUE, Maurice (dir.) (2000). *L'Acadie au féminin: un regard multidisciplinaire sur les Acadiennes et les Canadiennes*, Moncton, Chaire d'études acadiennes.

BELLIVEAU, Joel, et Frédéric BOILY (2005). « Deux révolutions tranquilles ? Transformations politiques et sociales au Québec et au Nouveau-Brunswick (1960-1967) », *Recherches sociographiques*, vol. 46, n° 1 (janvier-avril), p. 11-34.

BELLIVEAU, Joel, et Patrick NOËL (2016). « Éléments pour une rétrospection et une prospection de l'historiographie acadienne », *Bulletin d'histoire politique*, vol. 24, n° 2 (hiver), p. 33-54.

BENOIT, Monique, *et al.* (2012). « Les inégalités sociales de santé affectant les communautés francophones en situation minoritaire au Canada», *Reflets*, vol. 18, n° 2 (automne), p. 10-18.

BILODEAU, Florent (1992). « Réalité scolaire en Saskatchewan », *Éducation et francophonie*, vol. 20, p. 16.

BLAKE, Raymond B., et Matthew HAYDAY (2018). *Celebrating Canada: Commemorations, Anniversaries and National Symbols*, Toronto, University of Toronto Press.

BOILY, Frédéric, et Learry GAGNÉ (2013). « Inventaires des services de santé en français dans l'Ouest canadien: entre improvisation et gouvernance: 2000-2010 », *Revue Gouvernance*, vol. 10, n° 1 (avril), p. 1-20.

Boily, Gérald (1986). « Les Éditions Louis Riel », *Liaison*, vol. 40 (automne), p. 17.

Bouffard, Sophie (2010). « Centre canadien de recherche sur les francophonies en milieu minoritaire », *Rabaska : revue d'ethnologie de l'Amérique française*, vol. 8, p. 324-327.

Bouffard, Sophie, et Peter Dorrington (dir.) (2014). *Le statut du français dans l'Ouest canadien : la cause Caron*, Cowansville, Éditions Yvon Blais.

Boulay, Yvette (1998). *Le fransaskois : un aperçu sociolinguistique*, mémoire de maîtrise (linguistique), Chicoutimi, Université du Québec.

Bourgault, Ernest (2006). *Le grand nettoyage canadien*, Repentigny, Les-Filles-à-papa.

Cantin, Caroline (2018). *Perspectives d'autochtonisation chez les francophones : préparer un avenir commun dans l'Ouest canadien*, Regina, Centre canadien de recherche sur les francophonies en milieu minoritaire.

Cardinal, Linda (1992). « La recherche sur les femmes francophones vivant en milieu minoritaire : un questionnement sur le féminisme », *Recherches féministes*, vol. 5, n° 1, p. 5-29.

Cardinal, Linda, et Éric Forgues (dir.) (2014). *Gouvernance communautaire et innovations au sein de la francophonie néobrunswickoise et ontarienne*, Québec, Les Presses de l'Université Laval.

Carlson Berg, Laurie Diane (2010). « Experiences of Newcomers to Fransaskois Schools : Opportunities for Community Collaboration », *McGill Journal of Education = Revue des sciences de l'éducation de McGill*, vol. 45 n° 2, p. 287–304.

Carlson Berg, Laurie Diane (2011a). « Un regard critique sur les initiatives d'éducation inclusive des élèves immigrants en milieu scolaire fransaskois », *Francophonies d'Amérique*, n° 32 (automne), p. 65-86.

Carlson Berg, Laurie Diane (2011b). « La couleur des relations sociales », *Canadian Issues = Thèmes canadiens*, (été), p. 34-39.

Chabot, Adrien (1981). *Histoire du diocèse de Gravelbourg, 1930-1980 = History of the Diocese of Gravelbourg, 1930-1980*, Willow Bunch, [s. é.].

Conseil de recherches en sciences humaines (CRSH) (2009). « Alliances de recherche universités-communautés », 6 septembre 2013, sur le site du CRSH, [http://www.sshrc-crsh.gc.ca/funding-financement/programs-programmes/cura-aruc-fra.aspx] (7 février 2019).

Clarke, Marie-Diane (1996). « La petite fille pas trop "sage" de Gabrielle Roy et de Monique Genuist », *Actes du CEFCO*, n° 15, p. 361-378.

Cox, Terry B. (1992). « Les étudiants fransaskois face aux anglicismes et aux régionalismes : un aperçu », *Actes du CEFCO*, n° 11, p. 129-141.

Cox, Terry B. (1995). « Les Fransaskois et les diplômés d'immersion française : comparaison de leurs erreurs à l'écrit », *The Canadian Modern Language Review = La revue canadienne des langues vivantes*, vol. 52, n° 1 (octobre), p. 34-47.

Croteau, Lucienne (1967). *Dimension philosophique du problème scolaire en Saskatchewan*, mémoire de maîtrise (sciences religieuses), Ottawa, Université d'Ottawa.

Denis, Wilfrid (1970). *La jeunesse francophone de la Saskatchewan*, Ottawa, Secrétariat d'État.

Denis, Wilfrid, et Peter S. Li (1983). *Les lois et la langue: l'oppression des Fransaskois de 1875 à 1983*, Saskatoon, Unité de recherches pour les études canadiennes-françaises, Université de la Saskatchewan.

Denis, Wilfrid (1991). «La gestion scolaire fransaskoise», *Actes du CEFCO*, n° 10, p. 11-29.

Denis, Wilfrid (2002). *50 ans de radio: tant de choses à se dire*, Regina, Éditions de la nouvelle plume.

Denis, Wilfrid (2010). «"Commission sur l'inclusion dans la communauté fransaskoise: de la minorité à la citoyenneté": une réflexion sur le cadre idéologique», *Revue du Nouvel-Ontario*, n° 35-36, p. 15-46.

Dennie, Donald (1978). «De la difficulté d'être idéologue franco-ontarien», *Revue du Nouvel-Ontario*, n° 1, p. 69-90.

De Pauw, Catherine Valerie (2013). *Informal Learning Through Participation in Fransaskois Community-Based Governance*, mémoire de maîtrise (éducation), Regina, Université de Regina.

Dorais, François-Oliver (2016). *Un historien dans la cité: Gaétan Gervais et l'Ontario français*, Ottawa, Les Presses de l'Université d'Ottawa.

Dorais, Michel (2016). *Le savoir engagé*, Québec, Les Presses de l'Université Laval.

Dorrington, Peter, et Dominique Sarny (2014). «L'expérience du dialogue: la table ronde itinérante des francophones et des Métis de l'Ouest canadien», dans Paul Dubé, Paulin Mulatris et Anne Boeger (dir.), *Transferts des savoirs, savoirs des pratiques: production et mobilisation des savoirs pour une communauté inclusive*, Québec, Les Presses de l'Université Laval, p. 173-194.

Dubé, Albert (1990). *Fais ce que tu peux avec ce que tu as: petite histoire de la presse fransaskoise*, Regina, Coopérative des publications fransaskoises.

Dubé, Albert-O. (2003). *Le p'tit gars de Duck Lake*, Regina, Éditions de la nouvelle plume.

Dubois, Janique (2013). *"Just Do It!" Self-Determination for Complex Minorities*, thèse de doctorat (science politique), Toronto, Université de Toronto.

Dubois, Janique (2017). «"The Fransaskois" journey from survival to empowerment through governance», *Canadian Political Science Review*, vol. 11, n° 1, p. 37-60.

Dubois, Janique (2018). «Comment faire communauté autrement au sein de l'État anglo-dominant canadien? Le cas des Fransaskois», *Politique et Sociétés*, vol. 37, n° 3, p. 77-98.

Dupuis, Serge, et Stéphane Savard (2016). «Arpenté, défriché, mais pas encore entièrement labouré: le champ de l'historiographie franco-ontarienne en bref», *Bulletin d'histoire politique*, vol. 24, n° 2, p. 10-32.

Ennis, John A. (1977). *The Movement of Francophone Settlers into Southwestern Saskatchewan*, mémoire de maîtrise (histoire), Calgary, Université de Calgary.

ETZKOWITZ, Henry, et Loet LEYDESDORFF (1997). *Universities and the Global Knowledge Economy: A Triple Helix of University-Industry-Government Relations*, London, Pinter.

FAVE, Nathalie (2007). « Fragments d'identité : Michel Marchildon, ou le "Qui suis-je?" d'un Fransaskois », *Liaison*, n° 137, p. 60.

FÉDÉRATION DES COMMUNAUTÉS FRANCOPHONES ET ACADIENNE DU CANADA (2009). *Histoire de la francophonie saskatchewannaise [sic]*, Ottawa, FCFA.

FORSYTH, Louise (2012). « *La Maculée* de Madeleine Blais-Dahlem : une écriture dramaturgique véridique, ludique et transgressive », *Recherches théâtrales du Canada* vol. 33, n° 2, p. 173-191.

FREIRE, Paolo (1991). *L'éducation culturelle dans la ville*, Paris, Paiederia.

GALLAIS, Maurice (1981). *Historique de Saint-Brieux, 1904-1979*, Saint-Brieux, Avant-Gardes graphiques.

GALLANT, Nicole (2010a). « Communautés francophones en milieu minoritaire et immigrants : entre ouverture et inclusion », *Revue du Nouvel-Ontario,* n° 35-36, p. 69-105.

GALLANT, Nicole (2010b). « Représentations sociales et représentation politique : présence immigrante dans les organismes de la francophonie minoritaire au Canada », *Politique et Sociétés*, vol. 29, n° 1, p. 181-201.

GAREAU, Laurier (1990). *Le défi de la radio française en Saskatchewan*, Regina, Société historique de la Saskatchewan.

GAREAU, Laurier (1991). *Raymond Denis et l'association de trente sous,* Regina, ACFC.

GAREAU, Laurier, Monique GENUIST et Bernard WILHELM (2000). *Anthologie littéraire fransaskoise et de l'Ouest canadien,* Regina, Éditions de la nouvelle plume.

GAREAU, Médéric (1999). « La saga des Gareau : mémoires de Médéric Gareau », Regina, Éditions de la nouvelle plume.

GAUDET, Roland (1977). « St. Isidore de Bellevue, 1902-1977 », éditeur non identifié.

GAUDET, Sophie (2007). *Language, Networks, and Identity Among Minority Francophones,* thèse de doctorat (psychologie), Ottawa, Université d'Ottawa.

GAUDET, Sophie, et Richard CLÉMENT (2005). « Identity Maintenance and Loss: Concurrent Processes among the Fransaskois », *Canadian Journal of Behavioural Science*, vol. 37, n° 2, p. 110-122.

GENUIST, Paul (1987). « Des idées politiques en Saskatchewan dans une paroisse canadienne-française dans les années 30 », Saskatoon, Unité de recherches pour les études canadiennes-françaises, Université de la Saskatchewan.

GERVAISE, Fernand, *et al.* (1989). « La formation des enseignants et le bilinguisme : l'expérience de la Saskatchewan », *The Journal of Educational Thought = Revue de la pensée éducative,* vol. 23, n° 2, p. 80-91.

Gibbons, Michael, *et al.* (1994). *The New Production of Knowledge: The Dynamics of Science and Research in Contemporary Societies*, Londres, Sage.

GODIN, Benoît, et Yves GINGRAS (2000). « Impact de la recherche en collaboration et rôle des universités dans la production des connaissances », *Sciences de la société*, vol. 49, p. 11-26.

HALLION, Sandrine, *et al.* (2011). «Les communautés francophones de l'Ouest canadien: de la constitution des corpus de français parlé aux perspectives de revitalisation», *Francophonies d'Amérique*, n° 32 (automne), p. 109-144.

HELLER, Monica (2011). *Paths to Postnationalism: A Critical Ethnography of Language and Identity,* Toronto, Oxford University Press.

HUEL, Raymond Joseph Armand (1969). *L'Association catholique franco-canadienne de la Saskatchewan: A Response to Cultural Assimilation, 1912-34,* mémoire de maîtrise (histoire), Regina, Université de la Saskatchewan, campus de Regina.

HUEL, Raymond Joseph Armand (1975). *La Survivance in Saskatchewan Schools, Politics and the Nativist Crusade for Cultural Conformity,* thèse de doctorat (histoire), Edmonton, Université de l'Alberta.

HUEL, Raymond Joseph Armand (1986). «When a Minority Feels Threatened: The Impetus for French Catholic Organization in Saskatchewan», *Canadian Ethnic Studies = Études ethniques au Canada,* vol. 18, n° 3, p. 1-16.

JACKSON, Michael D., et Bernard WILHELM (1971). *Willow Bunch et Bellegarde en Saskatchewan,* Regina, Centre d'études bilingues.

JACKSON, Michael (1972). «Une minorité ignorée: les Franco-Canadiens de la Saskatchewan», *Journal of Canadian Studies = Revue d'études canadiennes,* vol. 7, n° 3, p. 1-20.

JULIEN, Richard (1995). «The Legal Recognition of All-French Schools in Saskatchewan: A Long and Often Difficult Odyssey», *Canadian Ethnic Studies = Études ethniques au Canada,* vol. 27, n° 2, p. 101-145.

KANYIB, Jacob (2017). *La femme dans le théâtre des Prairies canadiennes: ses épreuves, sa lutte et son rôle actif dans le paysage communautaire fransaskois,* mémoire de maîtrise (littérature), Saskatoon, Université de la Saskatchewan.

KING, Gillian, *et al.* (2009). «Features and Impacts of Five Multidisciplinary Community-University Research Partnerships», *Health and Social Care,* vol. 18, n° 1, p. 59-69.

LACOURSIÈRE-STRINGER, Rachel [1981]. *Histoire de Ponteix = History of Ponteix,* [Ponteix, Sask.], Rachel Lacoursière-Stringer.

LAMARRE, Jean (1993). *Le devenir de la nation québécoise selon Maurice Séguin, Guy Frégault et Michel Brunet (1944-1969),* Québec, Éditions du Septentrion.

LAPOINTE, Richard, et Lucille TESSIER (1986). *Histoire des Franco-Canadiens de la Saskatchewan,* Regina, Société historique de la Saskatchewan.

LAVIOLETTE, Karine (2004). «Tourisme culturel et milieu minoritaire: un voyage chez les Fransaskois», *Ethnologies,* vol. 26, p. 259-273.

LAVIOLETTE, Karine (2006). *Le tourisme en Saskatchewan francophone,* thèse de doctorat (ethnologie), Québec, Université Laval.

LECLERC, Jean-Pierre (2001). *Le cri du pinson: Roland Pinsonneault se raconte,* Regina, Société historique de la Saskatchewan.

Léonard, Carol (2010a). «Patrimoine toponymique des minorités culturelles, lieu de complexités : le cas de la Fransaskoisie», *Nouvelles perspectives en sciences sociales : revue internationale de systémique complexe et d'études relationnelles*, vol. 6, p. 99-124.

Léonard, Carol (2010b). *Mémoire des noms de lieux d'origine et d'influence françaises en Saskatchewan*, Répertoire toponymique, Québec, GID.

Lundlie, Lise (1993). *Le Collège Mathieu et son mandat : 1918-1968*, mémoire de maîtrise (français), Regina, Université de Regina.

Lundlie, Lise (1999). *Une pépinière de chefs : l'histoire du Collège Mathieu, 1918-1998*, Société historique de la Saskatchewan.

Marchildon, Michel (1989). *Les publications littéraires francophones de la Saskatchewan*, Regina, Commission culturelle fransaskoise.

Marcotte, Giselle M. (1994). *Being French-Canadian in Zenon Park, Saint Isidore-de-Bellevue and Marcelin, Saskatchewan*, mémoire de maîtrise (anthropologie), Saskatoon, Université de la Saskatchewan.

Marmen, Louise, et Jean-Pierre Corbeil (dir.) (2004). *Les langues au Canada : recensement de 2001*, Gatineau, Patrimoine canadien et Statistique Canada.

Massicotte, Julien (2005). «Les nouveaux historiens de l'Acadie», *Acadiensis*, vol. 34, n° 2, p. 146-178.

McNichol, Dustin (2016). *"You Can't Have it All French, All at Once" : French Language Rights, Bilingualism, and Political Community in Saskatchewan, 1870-1990*, thèse de doctorat (histoire), Saskatoon, Université de la Saskatchewan.

Mills, Sean (2010). *The Empire Within : Postcolonial Thought and Political Activism in Sixties Montreal*, Montréal, McGill-Queen's University Press.

Mocquais, Pierre-Yves (2011). *Histoire(s) de famille(s) : mémoire et construction identitaire en Fransaskoisie*, Regina, Éditions de la nouvelle plume.

Painchaud, Robert (1976). *The Catholic Church and the Movement of Francophones to the Canadian Prairies, 1870–1915*, thèse de doctorat (histoire), Ottawa, Université d'Ottawa.

Papen, Robert, et Sandrine Hallion (2014). *À l'ouest des Grands Lacs : communautés francophones et variétés de français dans les Prairies et en Colombie-Britannique*, Québec, Les Presses de l'Université Laval.

Paré, François (1992). *Les littératures de l'exiguïté*, Hearst, Le Nordir.

Poliquin, Laurent (2013). *"Polyphonie d'une crise scolaire en Saskatchewan : le discours journalistique du Patriote de l'Ouest en 1931 et les stratégies discursives de Tante Présentine"*, *Francophonies d'Amérique*, n° 35 (printemps), p. 47-65.

Poplyansky, Michael, et Abdoulaye Yoh (2018). *Contre toute attente : histoire de la présence francophone à l'Université de Regina*, Caraquet, Éditions de la Francophonie.

Quenneville, Jean-Guy. R. (1980a). *Indiens, Métis et cowboys : la saga de Jean-Louis Légaré*, Saskatoon, Unité de recherches pour les études canadiennes-françaises, Université de la Saskatchewan.

QUENNEVILLE, Jean-Guy R. (1980b). *Les Fransaskois de la Saskatchewan : aperçu historique, démographique et linguistique*. Saskatoon, Unité de recherches pour les études canadiennes-françaises, Université de la Saskatchewan.

RADIO-CANADA (2014). "Métis et Fransaskois : solutions distinctes pour des objectifs similaires", [en ligne], [https://ici.radio-canada.ca/nouvelle/686319/fransaskois-metis-gouvernance-solutions-sask], (11 novembre 2018).

ROUSSEL-BEAULIEU, Frédéric (2005). "De Franco-Canadien à Fransaskois : l'émergence d'une nouvelle identité francophone", Société historique de la Saskatchewan, vol. 16, n° 2, [en ligne], [http://musee.societehisto.com/de-franco-canadien-a-fransaskois-l-146-emergence-d-146-une-nouvelle-identite-francophone-n207-t1114.html], (31 juillet 2018).

RUDIN, Ronald (1997). *Making History in Twentieth Century Quebec*, Toronto, University of Toronto Press.

SAINT-PIERRE, Louis, et Roger GAUTHIER (1992). "L'intégration des ayants droit en Saskatchewan", *Éducation et francophonie*, vol. 20, n° 2, p. 74-75.

SARNY, Dominique (2011). "À la recherche de la tradition véridique : le secret inavoué d'un terrain avorté à Saint-Brieux (Saskatchewan)", *Rabaska*, vol. 9, p. 91-102.

SIMONOT, Colette (1998). *Performing Identities : Who Is "Hart-Rouge"?*, mémoire de maîtrise (musique), Toronto, Université York.

SIMON, Jean-François. (2003). "La hache, outil de l'acte fondateur breton à Saint-Brieux, en Saskatchewan", *Rabaska*, vol. 1, p. 31-42.

SIROIS, Allyre L. (1991). *Un Canadien derrière les lignes ennemies*, Regina, Éditions Louis Riel.

ST-PIERRE, Stéphanie (2014). "Mémoires de l'Acadie et du Canada français hors Québec : les minorités de langue française et la commission Laurendeau-Dunton", *Mens*, vol. 14, p. 203-249.

TESSIER, Lucille (1974). *La vie culturelle dans deux localités d'expression française du diocèse de Gravelbourg (Willow Bunch et Gravelbourg), 1905-1930*, Regina, mémoire de maîtrise (français), Université de Regina.

THÉRIAULT, Joseph Yvon (2007). *Faire société : société civile et espaces francophones*, Sudbury, Éditions Prise de parole.

TREMBLAY, Pierre-Mathieu (2002). "Polly-Esther : vers la Terre promise", *Liaison*, p. 41-41.

VERVILLE, Simone (2006). *Quatre générations de femmes francophones en Saskatchewan*, mémoire de maîtrise (études canadiennes), Winnipeg, Université du Manitoba.

WILHELM, Bernard (1976). *Zénon Park : un village en Saskatchewan*, Regina, Centre d'études bilingues.

L'offre active de services en français : généalogie d'un outil de politique publique

Martin Normand
Université d'Ottawa

L'offre active de services en français est un principe qui s'est rapidement imposé dans le discours des principaux intervenants dans le domaine de la promotion et de la protection des langues officielles et de la dualité linguistique au Canada. Elle est généralement comprise comme un principe permettant de mieux répondre aux besoins des communautés de langue officielle en situation minoritaire (CLOSM) au Canada en ce qui a trait à la prestation de services publics. De façon succincte, l'offre active peut être définie comme une invitation formelle verbale ou écrite, faite par une institution à un citoyen, de communiquer dans la langue officielle de son choix lors de l'utilisation des services publics. D'une part, ce principe a été intégré à des politiques, à des règlements et à des lois au palier fédéral et dans plusieurs provinces. D'autre part, il fait l'objet d'une attention particulière des commissaires linguistiques et de groupes de la société civile qui évoluent dans les CLOSM, notamment des groupes d'aspiration linguistique de la francophonie canadienne (Traisnel, 2012).

Nous pouvons témoigner de l'intérêt récent pour l'offre active de diverses façons. Premièrement, tant le Commissariat aux langues officielles du Canada que le Commissariat aux services en français de l'Ontario ont publié des rapports spéciaux consacrés à ce principe. Pour le commissariat fédéral, l'absence d'offre active peut ternir la relation entre les institutions fédérales et le citoyen qui souhaite être servi dans la langue de son choix. Ce dernier peut penser que le service n'est pas disponible, que d'exiger de recevoir le service dans la langue de son choix pourrait retarder le service ou lui créer de l'embarras (CLO, 2016 : 1). L'ancien commissariat ontarien notait aussi que l'absence d'offre active « a des effets nuisibles, parfois graves, sur la qualité des services offerts, et ce sont les citoyens francophones en situation vulnérable qui sont les plus touchés par cette lacune » (CSF, 2016 : 9).

Deuxièmement, les initiatives se multiplient pour mieux faire connaître l'offre active et pour outiller divers intervenants quant à sa mise en œuvre. Par exemple, des formations à l'offre active ont été développées par le Groupe de recherche sur la formation professionnelle en santé et service social en contexte minoritaire (GREFOPS), basé à l'Université d'Ottawa, et par le Réseau du mieux-être francophone du nord de l'Ontario (RMEFNO). Dans le premier cas, il s'agit d'une formation pour outiller ceux qui enseignent l'offre active aux futurs professionnels[1]. Dans le second cas, il s'agit d'une formation interactive gratuite en ligne dans le but d'améliorer de façon durable l'offre active de services en français[2]. Des ressources ont aussi été développées pour mieux faire connaître le principe. Parmi elles, notons la Boîte à outils pour l'offre active, un outil Web interactif conçu par le Consortium national de formation en santé (CNFS)[3], et l'énoncé de position commune sur l'offre active de services de santé en français dans les communautés francophones et acadienne en situation minoritaire au Canada de la Société Santé en français (SSF)[4]. L'intérêt des chercheurs est aussi manifeste, comme en témoignent l'organisation de deux instituts d'été sur l'offre active à l'Université de Saint-Boniface en 2016 et en 2017 et la publication d'un ouvrage collectif, *Accessibilité et offre active: santé et services sociaux en contexte linguistique minoritaire,* en 2017 (Drolet, Bouchard et Savard, 2017)[5].

Troisièmement, l'offre active se retrouve fréquemment au cœur de l'actualité dans la plupart des provinces canadiennes, comme l'illustrent quelques exemples survenus en 2018 et en 2019. En Saskatchewan, les juristes francophones tentent d'encourager le gouvernement provincial à adopter l'offre active comme un des principes régissant l'accès à la justice en français[6]. À l'Île-du-Prince-Édouard, le nombre d'institutions qui

---

[1]   La formation du GREFOPS est disponible en ligne au lien suivant: https://enseigner-offre-active.ca.

[2]   La formation du RMEFNO est disponible en ligne au lien suivant: https://www.formationoffreactive.ca.

[3]   La Boîte à outils pour l'offre active du CNFS est disponible en ligne au lien suivant: http://www.offreactive.com.

[4]   L'énoncé de position commune de la SSF est disponible en ligne au lien suivant: https://www.savoir-sante.ca/fr/content_page/download/352/427/21?method=view.

[5]   Cet ouvrage collectif est disponible en accès libre au lien suivant: https://press.uottawa.ca/accessibilité-et-offre-active.html.

[6]   Radio-Canada, «Les juristes fransaskois avancent avec l'offre active de services en français», 1er mars 2019, [en ligne], [https://ici.radio-canada.ca/nouvelle/1156013/justice-francophone-avocat-ajefs-saskatchewan] (31 octobre 2019).

sont tenues d'offrir activement des services en français à la population continue de s'accroître[7]. Des rapports, tant en Nouvelle-Écosse qu'au Manitoba, soulignent les défis quant à la pleine mise en œuvre de l'offre active dans la prestation des services de santé[8].

Bref, les trois éléments qui précèdent confirment l'intérêt et la pertinence d'étudier l'offre active. Or, les travaux actuels se limitent souvent aux aspects liés à la mise en œuvre du principe, que ce soit sur les plans de la gestion des ressources humaines, de la formation, de la sensibilisation, souvent accompagnés d'outils d'évaluation ou de mesures de rendement, et sur les effets d'une absence d'offre active ou des barrières linguistiques sur la qualité des services offerts. Ces travaux sont tout à fait utiles pour poursuivre la diffusion du principe. Pour notre part, il nous apparaît aussi utile d'aller au-delà de ces représentations plus formalistes ou techniques de l'offre active et de chercher si d'autres représentations ont aussi porté le principe au fil de son évolution. Mais, il existe un obstacle pour réaliser cet objectif: l'histoire de l'offre active n'a pas été écrite. Nous nous posons donc deux questions: 1) quelle est l'origine de l'offre active? et 2) quels sont les principaux jalons dans son évolution et sa diffusion? L'hypothèse est que les représentations initiales de l'offre active n'étaient pas que techniques ou formalistes et qu'elles se sont effritées avec le temps.

Ces questions nous semblent importantes pour mieux comprendre l'offre active telle qu'elle se déploie aujourd'hui. Mais, d'où vient la pertinence de retracer l'origine de ce principe? Nous considérons que l'offre active est un outil de politique publique que les gouvernements se sont approprié pour organiser la prestation de services dans la langue de la minorité. Or, les outils, les procédures et les mécanismes que les gouvernements utilisent pour veiller à la prestation des services publics sont une

---

[7] Radio-Canada, «L'offre de services en français continue de croître à l'Île-du-Prince-Édouard», 10 décembre 2018, [en ligne], [https://ici.radio-canada.ca/nouvelle/1141057/offre-services-francais-designations-postes-bilingues-gouvernement-ile-prince-edouard-acadie] (31 octobre 2019).

[8] Radio-Canada, «L'offre active de soins de santé en français n'est pas suffisante en Nouvelle-Écosse, selon un rapport», 27 novembre 2018, [en ligne], [https://ici.radio-canada.ca/nouvelle/1138361/manque-offre-francais-nouvelle-ecosse-services-francais] (31 octobre 2019); Radio-Canada, «Hôpitaux de Winnipeg: une offre en français pas très active», 7 mai 2018, [en ligne], [https://ici.radio-canada.ca/nouvelle/1099549/services-francophones-sante-manitoba-interpretes] (31 octobre 2019).

illustration des façons dont les gouvernements comprennent leurs responsabilités à l'égard de divers groupes (Simard, 2019). Dès lors, l'objectif de ce texte est d'inscrire l'offre active dans le temps long pour aller voir quelles en étaient les représentations initiales et comment celles-ci se sont diffusées et transformées. La contribution est plus descriptive qu'analytique. Sur le plan méthodologique, nous sommes partis des définitions actuelles de l'offre active et nous sommes allés à la recherche, dans des sources primaires et secondaires, de ce qui les a inspirées, jusqu'à ce que nous arrivions à un moment où le principe semble avoir émergé, dans des conditions bien précises. L'originalité de la description repose essentiellement sur ce travail dans les sources, d'où l'utilisation de nombreuses citations pour laisser la parole aux acteurs plutôt qu'à une analyse de leur discours.

Le texte s'organise autour de trois périodes. La première s'échelonne de la fin des années 1960 au début des années 1980, une période de conceptualisation de ce qui allait devenir l'offre active. La seconde se situe entre 1982 et 1988, une période durant laquelle l'offre active s'est formalisée et institutionnalisée au sein du gouvernement fédéral. La dernière période, qui suit toujours son cours, est celle d'une lente diffusion de l'offre active à travers le pays, mais qui s'est faite au détriment des représentations initiales et au profit d'une représentation plus technique.

L'émergence du principe de l'offre active

Dans le premier volume du rapport de la Commission royale d'enquête sur le bilinguisme et le biculturalisme qui porte sur les langues officielles[9], les commissaires font des constats qui ne sont pas sans rappeler les raisons pour lesquelles l'offre active devient un outil important pour régir la prestation de services dans la langue de la minorité au Canada. Il s'agirait véritablement du premier moment où les idées qui portent ce principe sont formalisées dans ce contexte[10]. En discutant de la prestation de services

---

[9]   La Commission royale d'enquête sur le bilinguisme et le biculturalisme a mené ses travaux de 1963 à 1971. Le premier volume du rapport a été publié en 1967. Pour plus d'information sur la Commission, voir Lapointe-Gagnon (2018).

[10]   C'est dans un mémoire soumis par le Commissariat aux services en français de l'Ontario au Comité permanent sur les langues officielles (CSF, 2018) que nous avons trouvé une référence à cet extrait du Livre 1 de la Commission.

gouvernementaux par les institutions provinciales, la Commission mentionne des comportements langagiers que des sociolinguistes (Deveau, Allard et Landry, 2009) étudient encore aujourd'hui pour justifier l'offre active. Pour améliorer la prestation de services en français, la Commission écarte « une solution à nos yeux inacceptable : ne dispenser des services dans la langue de la minorité que dans la mesure où celle-ci les réclamerait » (Canada. Bureau du Conseil privé, 1967 : 97). Elle poursuit :

> [u]n tel système ne comporterait aucune garantie sérieuse, car il serait livré à l'interprétation plus ou moins arbitraire des autorités du moment. De plus, dans une province où des services n'ont jamais été établis dans la langue de la minorité officielle, ou bien ne l'ont été que parcimonieusement, les membres de cette minorité [...] ont pris l'habitude de se résigner à la situation, même quand ils l'estiment injuste. Il faut, à notre avis, retenir des critères plus objectifs, fondés sur une réalité moins fluide (Canada. Bureau du conseil privé, 1967 : 97).

Ainsi, la Commission ne croit pas qu'il suffise que les citoyens aient le droit de demander un service dans la langue de leur choix, puisque d'autres facteurs pourraient avoir leur importance dans la décision des citoyens d'opter plutôt pour le service dans la langue de la majorité. Il s'agit d'une des principales critiques au concept de « langue de son choix » et l'une des assises pour justifier la mise en œuvre du concept d'offre active (Charbonneau, 2011).

En réaction aux travaux de la Commission, le gouvernement fédéral a adopté la *Loi sur les langues officielles* en 1969. Parmi les mesures qui s'y retrouvent, on prévoit la création d'un Commissariat aux langues officielles (CLO). Rapidement, le Commissariat collige dans ses rapports annuels des défauts dans la mise en œuvre de la réforme linguistique qu'amenait la nouvelle loi. C'est dans ces rapports que se cristallise une première représentation de l'offre active.

Déjà dans son deuxième rapport annuel, le CLO estime que les institutions fédérales tardent à prendre les mesures nécessaires pour respecter les nouvelles obligations qui leur reviennent en vertu de la *Loi sur les langues officielles*. Pour accélérer ce qu'il qualifie de réforme bilingue, le CLO propose de développer un programme où « la priorité irait aux institutions fréquemment en rapport avec le public, et aux aspects visuels du bilinguisme relativement faciles à modifier » (CLO, 1972 : 39). Les aspects visuels du bilinguisme sont au cœur de la définition actuelle de l'offre active qui est diffusée dans la *Politique sur les langues officielles* du

Secrétariat du Conseil du Trésor. Ces aspects visuels permettent de rendre visibles les deux langues officielles et encouragent les citoyens à utiliser les services en français quand ils sont offerts.

L'accueil des citoyens, par les institutions fédérales, dans les deux langues officielles constitue une autre composante de l'offre active. La notion de l'accueil dans les deux langues officielles est mentionnée dans une étude spéciale commandée par le ministère de la Défense nationale, qui se trouve en annexe du rapport annuel du CLO de 1977. Dans ce rapport, le CLO propose au Ministère d'«assurer un accueil bilingue spontané au téléphone et la prestation de services dans la langue d'élection des interlocuteurs ou des usagers» (CLO, 1978 : 170). L'accueil bilingue spontané rappelle l'idée que l'accueil devrait se faire spontanément dans les deux langues officielles sans que le citoyen n'ait à demander le service dans la langue de son choix.

Une troisième composante de l'offre active, qui participe toujours de certaines des représentations actuelles, est la qualité équivalente des services dans les deux langues. Dans le rapport annuel de 1977, on trouve une autre étude spéciale en annexe réalisée pour le compte du Sénat. Comme dans le cas précédent, cette étude spéciale vise à proposer des pistes pour améliorer la prestation de services dans les deux langues officielles. Dans ce cas-ci, le CLO propose au Sénat qu'il fournisse «des services et des communications de qualité égale dans les deux langues officielles et, en particulier, [lorsque le personnel] répond au téléphone ou accueille les visiteurs» (CLO, 1978 : 163). Ainsi, les services dans les deux langues doivent être de qualité égale pour ne pas donner l'impression aux citoyens qui choisissent la langue de la minorité qu'ils reçoivent un service de qualité moindre, ce qui pourrait à l'avenir les inciter à utiliser la langue de la majorité.

L'idée de l'offre active commence à se cristalliser autour de quelques concepts : les aspects visuels, l'accueil et la qualité équivalente. Le nom du principe lui-même commence à faire son chemin dans les rapports du CLO au début des années 1980. Quand il discute de la prestation de services dans le rapport annuel de 1981, il affirme que «les organismes doivent servir activement. Qu'est-ce que cela veut dire? Plusieurs choses, mais essentiellement ceci : il faudra veiller à ce que la minorité linguistique soit servie et informée de ce qui existe avec autant de soin et d'attention que la majorité» (CLO, 1982 : 67). Peu à peu, l'offre active en vient, au CLO, à servir à caractériser la qualité de la prestation de services gouvernementaux auprès de la minorité linguistique.

Or les représentations de l'offre active développées au CLO vont bien au-delà des premiers éléments que nous venons de décrire. Elles embrassent aussi la participation et l'autonomie des minorités linguistiques (Roy, 2012). Sur le plan de la participation, le CLO déclarait, toujours dans son rapport annuel de 1977, qu'il « serait bon de consulter les clients éventuels [...] et de tenir compte vraiment de leurs vues au moment de déterminer la gamme de services que le gouvernement fédéral peut "raisonnablement" offrir dans la langue minoritaire » (CLO, 1978 : 11). Il ajoutait, dans le rapport annuel suivant, que, « chaque fois que les chiffres ne sont pas suffisamment "parlants", les organismes devraient s'efforcer de rencontrer leur clientèle et discuter avec elle de la meilleure manière de la servir » (CLO, 1979 : 24). Il reprochait d'ailleurs aux ministères de préférer « trop souvent consacrer des efforts considérables à des analyses et des plans leur permettant de camoufler la médiocrité de leurs réalisations » (CLO, 1979 : 24). Puis, dans son rapport annuel de 1980, il constatait que, « pour autant que nous puissions en juger, le nombre des ministères qui ont estimé utile de faire participer les groupes minoritaires à la solution des problèmes les concernant [...] est toujours trop faible » (CLO, 1981 : 55). La consultation, notamment dans des instances officielles, devient pour le CLO un mécanisme pour améliorer l'offre active.

Sur le plan de l'autonomie, le CLO envisage des solutions dans l'éventualité où des institutions fédérales auraient recours à des faux-fuyants pour justifier leur incapacité à offrir des services dans la langue de la minorité. Dans son rapport annuel de 1977[11], le CLO suggérait que, dans de tels cas, « il y aurait lieu de repenser quelque peu l'emplacement des bureaux de l'État. Ainsi, la plupart des collectivités francophones sises dans les provinces anglophones possèdent des institutions qui sont au cœur de l'activité communautaire » (CLO, 1978 : 10). Ces institutions « pourraient bien recevoir les centres de communications et peut-être même accueillir certains bureaux fédéraux chargés de desservir la population en français » (CLO, 1978 : 10). Il va encore plus loin dans son rapport de 1979, où il déclare que « bon nombre de services fédéraux

---

[11]   Il faut souligner qu'en 1977, Keith Spicer, premier commissaire aux langues officielles, est remplacé par Maxwell Yalden.

peuvent faire l'objet de contrats consentis à des organismes non gou-vernementaux, ce qui pourrait permettre, à l'occasion, au gouvernement fédéral de satisfaire plus facilement les besoins des minorités officielles» (CLO, 1980 : 48). On pourrait dire que le CLO proposait déjà à l'époque le recours à la gestion autonome des services gouvernementaux ou au principe du «par et pour» comme mécanisme pour que soient planifiés, offerts et évalués les services par des institutions de cette communauté.

Mais pourquoi le CLO s'engage-t-il dans cette voie? Un des éléments déclencheurs de cette réflexion semble être l'abandon par le gouverne-ment fédéral de la mise en place des districts bilingues, tels que proposés par la Commission royale d'enquête sur le bilinguisme et le bicultura-lisme et inclus dans la *Loi sur les langues officielles* de 1969[12]. Selon cette proposition, les institutions fédérales auraient été tenues d'offrir leurs services dans les deux langues officielles. L'idée est définitivement aban-donnée en 1976, mais le CLO avait déjà des doutes, dans ses premiers rapports, quant à sa possible mise en œuvre. Il souhaite alors que soit revue la façon dont les services sont offerts par les institutions fédérales pour que ce ne soient pas les minorités linguistiques qui fassent les frais de l'abandon de cette mesure.

En l'absence des districts bilingues, ce sont les notions de «demande suffisante» et de «là où c'est possible» qui servent à déterminer les lieux où les services dans la langue de la minorité seront disponibles. Or, ces deux notions ne sont pas explicitement définies. Sur la notion de «demande suffisante», le CLO note à plusieurs reprises qu'il y a des limites à faire reposer sur le client la responsabilité de faire la demande pour un ser-vice dans la langue de la minorité alors qu'il n'en a jamais eu l'habitude, un peu comme le soulignait aussi le premier volume du rapport de la Commission sur le bilinguisme et le biculturalisme. Dans son rapport de 1980, il rappelle qu'il est plutôt nécessaire et évident «que les services soient offerts librement, ou tout au moins annoncés aux groupes minori-taires avant que, conditionnés comme ils le sont depuis des générations à

---

[12]   La Commission allait plus loin, en demandant que les services offerts par les gou-vernements provinciaux soient aussi disponibles dans les deux langues officielles dans les districts bilingues. Ces districts auraient constitué les régions du pays où les services gouvernementaux devaient obligatoirement être offerts en français et en anglais. De façon générale, ces régions étaient celles ou au moins 10 % de la popu-lation parlait la langue officielle minoritaire (Bourgeois, 2006).

se contenter de services en anglais, ils modifient leurs habitudes» (CLO, 1981 : 56).

Les institutions doivent aussi comprendre qu'elles peuvent être responsables du fait que la demande n'apparaît pas comme suffisante. C'est là qu'entrent en jeu les problèmes liés à la notion de «là où c'est possible». Le CLO observe que les institutions utilisent de faux prétextes pour expliquer pourquoi la prestation de services dans la langue de la minorité n'est pas possible, souvent en raison de la mauvaise foi d'administrateurs. Il compare cette situation à une forme de pouvoir discrétionnaire permettant à une institution de se soustraire à ses responsabilités. Le CLO considère que «les autorités gouvernementales ont souvent négligé de déployer l'imagination et les efforts nécessaires à un prompt règlement des problèmes linguistiques» (CLO, 1978 : 10). Cette idée rappelle celle déjà soulevée selon laquelle les institutions cherchaient souvent à camoufler leur médiocrité plutôt qu'à agir véritablement en faveur de la réforme bilingue rendue nécessaire par la *Loi sur les langues officielles* de 1969.

Un autre acteur fait son apparition au début des années 1980 et contribuera lui aussi à développer la notion d'offre active. Le Comité mixte spécial du Sénat et de la Chambre des communes sur les langues officielles est créé en mai 1980 et a commencé ses travaux en octobre de la même année. Il a reçu le mandat d'étudier les rapports du CLO et les enjeux liés aux langues officielles qui s'en dégagent. L'offre active – tant le principe que l'expression – va rapidement s'imposer comme un des thèmes des délibérations du Comité, à un point tel qu'elle a fait l'objet d'une recommandation dans son premier rapport.

Plusieurs sous-ministres ont été convoqués par le Comité mixte spécial pour approfondir les thèmes abordés dans les rapports du CLO et sont fréquemment questionnés à propos de la mise en œuvre du principe de l'offre active. Par exemple, pendant un échange avec le sous-ministre de l'Environnement, le député Serge Joyal aborde le concept en affirmant que l'offre active est fondamentale, qu'elle doit servir à renverser la façon dont on interprète la demande importante et que les services dans les deux langues doivent être de qualité équivalente. Il déclare, notamment, que «[d]ans le passé, notre attitude était mauvaise du fait que nous réagissions à une demande de service, tandis que dans certains domaines fondamentaux et essentiels, lorsque la population demande un service, ce service devrait être offert spontanément dans les deux langues officielles». Et, il insiste pour que le sous-ministre détermine « les secteurs de [son] ministère où [il doit] assurer spontanément et activement des services dans les deux langues » (Comité mixte spécial, 1981 : fascicule 15, p. 28) pour éviter que les francophones en milieu minoritaire se sentent comme des citoyens de seconde classe. Il y a aussi eu des échanges assez musclés avec le sous-ministre responsable de Postes Canada après un blâme qui se trouverait dans un rapport du Conseil du Trésor. On affirme dans ce rapport[13] que « l'offre active des services dans l'autre langue est pratiquement inexistante, malgré les initiatives prises par le Ministère en ce qui concerne les services, les affiches, etc. » (Comité mixte spécial, 1981 : fascicule 15, p. 40-41). Ce passage est significatif parce qu'il montre qu'en 1981, l'offre active fait désormais partie du vocabulaire gouvernemental, qu'elle est utilisée pour évaluer les services offerts et donc, qu'elle commence à s'imposer comme un outil de politique publique dans l'appareil fédéral.

Les délibérations du Comité mixte spécial montrent aussi que l'offre active fait son chemin dans le discours des groupes de la francophonie. En effet, lors d'une présentation devant le Comité en mars 1981, le vice-président de la Fédération des francophones hors Québec (FFHQ) livre un plaidoyer en faveur de l'offre active. D'emblée, il invite les ministères, les agences et les organismes fédéraux à adopter « une attitude plus active et [à cesser] de tergiverser sur la question de l'insuffisance de la demande » (Comité mixte spécial, 1981 : fascicule 9, p. 6). Comme d'autres l'ont déjà dit, des citoyens peuvent avoir cessé d'essayer d'obtenir leurs services en français. Pour la FFHQ, la solution est simple : « Offrez-leur un service français de qualité égale à ce qu'ils reçoivent en anglais, laissez-leur voir qu'il est normal d'offrir un service français et la demande sera plus que suffisante » (Comité mixte spécial, 1981 : fascicule 9, p. 8). L'organisme formule à cet effet une recommandation :

> Que l'offre de services en langue française soit plus active. Il s'agirait d'inciter les francophones à se prévaloir des services en français en identifiant clairement la disponibilité de tels services. Les ministères et agences devraient s'efforcer de rejoindre les communautés francophones hors Québec par le biais de rencontres régulières avec les associations représentatives des francophones de façon à mieux définir les besoins. Une meilleure utilisation des media francophones hors Québec serait également nécessaire pour l'incitation à l'usage des services en français. (9 : 13)

---

[13]   Malgré nos efforts, il nous a été impossible de retrouver ce rapport.

La FFHQ a donc une représentation de l'offre active qui implique la qualité équivalente, la consultation et même une part d'habilitation, en demandant au gouvernement d'avoir recours aux médias de la communauté pour faire connaître ses services.

Le Comité mixte spécial a intégré la notion d'offre active à ses travaux et a décidé d'en faire un élément central de son premier rapport au Parlement. Il établit clairement que les ministères et les organismes se sont réfugiés derrière de faux prétextes pour se soustraire à leurs responsabilités de mettre en œuvre la réforme linguistique imposée par l'adoption de la *Loi sur les langues officielles*. Le problème réside dans l'interprétation à donner à l'article 9 de la loi, celui qui prévoit les critères de «demande importante» et de «là où c'est possible»:

> [L]e Comité a trouvé que la phraséologie de l'article 9 de la loi présuppose que la population de langue minoritaire officielle doit faire la preuve que des services dans sa langue devraient être offerts. Sur cette question, le Comité est en accord [*sic*] avec le Commissaire à l'effet qu'un tel fardeau semble même fausser l'esprit de la *Loi sur les langues officielles* qui était que les institutions fédérales doivent offrir activement leurs services dans les deux langues officielles plutôt que d'attendre que la demande se manifeste. Et, comme l'a si justement indiqué le Commissaire aux langues officielles lors d'une de ses comparutions devant notre Comité: «les communautés minoritaires francophones ont tellement l'habitude d'accepter les services du gouvernement dans l'autre langue, qu'elles ne font pas de demandes pour avoir les services en français» (Comité mixte spécial, 1981: fascicule 22, p. 9).

À cet effet, le Comité fait une recommandation en trois volets pour modifier l'article 9 de la *Loi sur les langues officielles*: 1) de rayer de la loi la notion de «là où c'est possible», 2) d'ajouter la notion de «là où le nombre le justifie» comme critère s'ajoutant à la demande importante et, surtout, 3) d'inclure le concept de l'offre active de services à la loi.

Ainsi, le début de cette première période est marqué par une transformation importante dans le régime linguistique canadien avec l'adoption de la *Loi sur les langues officielles*. Au fil des années, les problèmes dans la mise en œuvre de la loi se font jour et l'offre active s'impose peu à peu pour corriger certains d'entre eux, notamment les efforts des ministères pour justifier leur incapacité à respecter leurs obligations. La période se termine par une adhésion politique forte à la notion d'offre active, comme en témoigne la recommandation du Comité mixte spécial sur les langues officielles. La prochaine étape est de rendre ce concept fonctionnel afin qu'il s'impose comme mécanisme dans l'appareil fédéral. L'attente ne sera pas très longue.

L'institutionnalisation de l'offre active dans l'appareil gouvernemental fédéral

Pour que l'offre active se diffuse aussi largement, il fallait que des institutions gouvernementales l'officialisent et y adhèrent. Le travail du CLO et du Comité mixte spécial a encouragé le Conseil du Trésor à passer à l'action. En novembre 1981, quelques mois après le dépôt du premier rapport du Comité mixte spécial, le président du Conseil du Trésor, Donald Johnston, comparaît à son tour devant le même comité et consacre une partie de ses propos à la qualité et à la disponibilité des services au public dans les deux langues officielles. Il reconnaît d'emblée que le «public ne reçoit pas de tous les ministères des services de niveau comparable. Dans certains cas même, les services ne lui sont pas du tout disponibles» (Comité mixte spécial, 1981 : fascicule 24, p. 6) et précise que le gouvernement a l'intention d'agir. Il annonce qu'à partir d'avril 1982, «les ministères qui offrent des services au public devront activement fournir [leurs] services aux groupes linguistiques officiels dans leur propre langue» (Comité mixte spécial, 1981 : fascicule 24, p. 6) dans des régions désignées. Le président du Conseil du Trésor précise que c'est «la première fois [...] que le gouvernement prévoit cette obligation absolue d'offrir des services au public minoritaire dans des endroits désignées [*sic*] au pays» (Comité mixte spécial, 1981 : fascicule 24, p. 6). D'ailleurs, le Conseil du Trésor examinera la prestation de services dans d'autres régions pour que les «minorités bénéficient plus uniformément d'une gamme plus complète de services fédéraux» (Comité mixte spécial, 1981 : fascicule 24, p. 7). Une autre mesure importante est ajoutée : «[L]es ministères devront informer les minorités linguistiques officielles de la disponibilité de ces services et leur permettre de commenter sur la qualité et la disponibilité des services du gouvernement fédéral» (Comité mixte spécial, 1981 : fascicule 24, p. 7). Le Conseil du Trésor incitait donc, dans cette mesure, la mise en place de mécanismes de consultation formels pour que les minorités linguistiques puissent se prononcer sur les services offerts par le gouvernement fédéral.

La circulaire n° 1982-6 du Conseil du Trésor, dont l'objet est «Les politiques et programmes fédéraux en matière de langues officielles au sein de la fonction publique fédérale: actions requises, 1982», est diffusée le 29 janvier 1982 auprès des sous-ministres et des directeurs d'organismes et de sociétés. Il s'agit vraisemblablement du premier document gouvernemental qui donne une directive claire et une définition précise de l'offre active. La prestation active des services disponibles est définie ainsi:

> La prestation de services de façon à ce que le public sache qu'il peut librement choisir la langue officielle dans laquelle il recevra les services. De la part de tous les bureaux qui dispensent les services dans les deux langues officielles, une «prestation active» comprendra:
> a) un accueil téléphonique bilingue et un suivi dans la langue de l'interlocuteur;
> b) une indication écrite aux points de services, de la langue ou des langues dans lesquelles les services sont fournis; et / ou une introduction bilingue et un suivi de la part du ou des fonctionnaires servant le public;
> c) des versions bilingues ou françaises et anglaises identiques de formulaires, de publications et autre matériel écrit. Lorsqu'il s'agit de versions distinctes mais identiques, chaque texte devrait indiquer la disponibilité de la version dans l'autre langue officielle (Conseil du Trésor, 1982: 2).

La circulaire fait d'ailleurs un lien explicite entre la prestation active de services et les dispositions concernant la «demande importante» dans les régions désignées[14], mais aussi dans les bureaux hors de ces régions qui dispensent des services dans les régions désignées.

La circulaire fait état de deux autres décisions importantes. D'abord, elle annonce que les ministères et les organismes devront avoir «recours à la presse minoritaire de langue officielle pour informer les membres de la population minoritaire de langue officielle des endroits où sont situés les bureaux où ils peuvent exercer leurs droits d'obtenir des services dans la langue officielle de leur choix» (Conseil du Trésor, 1982: 4). Ils devront aussi avoir recours à cette presse pour informer le public que de nouveaux services sont disponibles. Ensuite, la circulaire annonce que «les ministères et organismes devront [mettre] sur pied des systèmes de rétroaction portant sur tous les endroits qui fournissent le service au public dans les deux langues officielles, de façon à permettre au public de se prononcer sur les divers aspects linguistiques des services dispensés» (Conseil du Trésor, 1982: 6). Ils devront aussi utiliser la presse minoritaire pour faire connaître ces systèmes

---

[14] Les régions désignées sont la province du Nouveau-Brunswick; certaines parties de la Gaspésie, les Cantons de l'Est, Montréal et certaines parties de l'ouest du Québec; les régions du nord et de l'est de l'Ontario; le Toronto métropolitain; la ville de Winnipeg.

de rétroaction. Ces deux décisions[15] font écho à la demande formulée par la FFHQ dans son témoignage devant le Comité mixte spécial.

Cette circulaire constitue un moment clé dans l'évolution et la diffusion du principe de l'offre active de services au sein du gouvernement fédéral[16]. Mais elle n'est qu'une directive parmi tant d'autres, qui peuvent être sujettes aux aléas politiques. Ce statut incite le député Jean-Robert Gauthier, qui a participé à plusieurs séances du Comité mixte spécial et qui avait réclamé sa création (Faucher, 2008 : 280), à continuer à demander la mise en œuvre d'un élément de la recommandation du Comité, c'est-à-dire insérer l'offre active dans la *Loi sur les langues officielles*[17]. À quelques reprises, il rappellera l'importance de la notion d'offre active lors de débats à la Chambre des communes, notamment le 24 août 1987 au cours d'un débat sur le projet de loi privé C-223 qu'il a déposé pour renforcer la *Loi sur les langues officielles* et le 8 février 1988 pendant le débat en deuxième lecture du projet de loi C-72, c'est-à-dire le projet qui deviendra la nouvelle *Loi sur les langues officielles* de 1988. Durant cette intervention, il définit l'offre active comme « l'obligation pour les fonctionnaires d'inciter la clientèle à utiliser sa langue de prédilection » (Chambre des communes, 1988a : 12711).

Après son adoption en deuxième lecture, le projet de loi a été transmis à un comité législatif créé spécifiquement pour l'étudier. Jean-Robert Gauthier y est nommé membre. La notion d'offre active a été évoquée à

---

[15]   La circulaire comprend d'autres mesures, notamment sur la dotation des postes désignés bilingues et sur la langue de travail des fonctionnaires.

[16]   À la fin de juin 1982, des ateliers sur l'offre active sont organisés pour appuyer la diffusion du concept dans le cadre du Colloque annuel des directeurs de langues officielles et cadres supérieurs chargés de l'administration du programme des langues officielles. Nous avons retrouvé le programme de ce colloque dans les archives de Jean-Robert Gauthier, hébergées au Centre de recherche en civilisation canadienne-française de l'Université d'Ottawa. *Gestion du Programme fédéral des langues officielles au Canada – Colloque annuel du 27 au 30 juin 1982*, Université d'Ottawa, Centre de recherche en civilisation canadienne-française, Fonds Jean-Robert Gauthier, P348-4/54/3.

[17]   Durant toute sa carrière politique, le député, puis sénateur Gauthier, déposera une pléthore de projets de loi privés visant à « assurer la suprématie de la *LLO* sur toutes les autres lois en réaffirmant le principe fondamental de l'égalité linguistique, stipulé à l'article 2, et renforcer ce principe en en faisant un principe contraignant auquel seront subordonnés les autres lois et règlements qui auraient pour effet d'empêcher son exécution pleine et entière » (Faucher, 2008 : 281).

plusieurs reprises pendant les délibérations du comité, mais n'a pas véritablement suscité de débats. Les intervenants semblent adhérer à la notion telle
qu'elle est mise en œuvre depuis 1982 et acceptent le lien qui est établi entre
l'offre active et la demande importante. Or il y a un moment où le député
Gauthier est intervenu de façon plus directe à propos de la notion d'offre
active. La loi prévoit que les services doivent être offerts activement dans des
circonstances précises : au siège des institutions centrales, dans la région de
la capitale nationale, dans les bureaux où il y a une demande importante et
dans des bureaux à vocation particulière. Le député Gauthier souhaitait que
ces circonstances soient élargies et a présenté un amendement pour que le
public voyageur soit inclus. Son objectif était de ne pas restreindre la portée
de l'offre active, puisque les institutions qui n'ont pas à faire d'offre active ne
pourront être en mesure de bien évaluer s'il existe une demande importante :

> Ainsi, s'il n'y a pas de demande importante, il ne saurait y avoir d'offre active,
> car celle-ci découle de la présence d'une telle demande. L'offre active ne saurait
> donc identifier la présence d'une demande importante, car elle ne s'appliquera
> que si celle-ci existe déjà. Avec l'adoption de l'amendement [...] le concept
> de l'offre active aurait une application plus large, car on pourrait identifier
> une demande plus importante qu'il ne le serait prévu initialement dans les
> règlements. C'est tout simplement, d'après moi, prévoir des circonstances plus
> larges au lieu de restreindre l'offre active aux quatre situations que je viens de
> décrire (Chambre des communes, 1988b : fascicule 23, p. 48).

L'amendement n'a pas été adopté, mais cette intervention laisse penser que, déjà, les représentations initiales de l'offre active semblent s'étio-
ler en raison du champ d'application plus restreint que prévoit le projet
de loi C-72.

Il n'en demeure pas moins que le projet de loi est adopté et que la
nouvelle *Loi sur les langues officielles* fait référence à l'offre active, ce qui
est le point d'orgue de l'institutionnalisation du principe dans l'appareil
gouvernemental fédéral. L'article 28 de la loi prévoit qu'il « incombe aux
institutions fédérales de veiller également à ce que les mesures voulues
soient prises pour informer le public, notamment par entrée en communication avec lui ou encore par signalisation, avis ou documentation
sur les services, que ceux-ci lui sont offerts dans l'une ou l'autre langue
officielle, au choix » (LLO, en ligne)[18].

---

[18]   Les mots « offre active » n'apparaissent pas dans le corps de l'article, mais sont utilisés
dans les notes marginales.

La *Politique sur les langues officielles* du Conseil du Trésor propose aussi une définition de l'offre active, qui consiste à « [i]ndiquer claire-ment visuellement et oralement que les membres du public peuvent com-muniquer en français ou en anglais et obtenir des services d'un bureau désigné dans l'une ou l'autre de ces langues. Des moyens sont pris pour s'assurer que les services sont disponibles dans la langue officielle choisie » (Canada. Secrétariat du Conseil du Trésor, en ligne). La promotion des services peut se faire en affichant le symbole des langues officielles, en accueillant les membres du public dans les deux langues officielles, en faisant en sorte que les messages soient enregistrés intégralement dans les deux langues, en affichant les formulaires et les dépliants de manière à ce que l'égalité de statut des deux langues soit respectée, en utilisant des affiches permanentes ou temporaires rédigées dans les deux langues offi-cielles et en faisant en sorte que les ordinateurs d'accès public permettent l'usage des logiciels et des claviers dans les deux langues officielles.

Ce qu'il faut retenir de cette définition, c'est qu'elle semble se limiter à l'accueil initial du public, à l'environnement visuel et à la disponibi-lité des ressources. Elle s'éloigne des mécanismes de consultation obliga-toire des minorités linguistiques, ne fait pas explicitement référence à des services de qualité équivalente, mais surtout elle évacue complètement l'autonomie du principe de l'offre active, qui se retrouvait dans la repré-sentation initiale du CLO. Il n'en demeure pas moins que c'est essentiel-lement cette représentation développée par le gouvernement fédéral qui sera diffusée par la suite. Cette période d'institutionnalisation du prin-cipe de l'offre active aura, d'une part, servi à la légitimer et à la codifier en vue de sa mise en œuvre dans les institutions fédérales, mais, d'autre part, elle aura réduit sa portée en la limitant aux interactions entre les institutions et le public.

La diffusion du principe de l'offre active

Ce dont témoigne la période précédente, c'est d'une appropriation du principe de l'offre active par une variété d'acteurs politiques, institution-nels, communautaires en vue d'améliorer la prestation de services auprès des communautés minoritaires linguistiques au Canada. Elle témoigne aussi d'une légitimation du principe, du fait qu'il se retrouve dans la *Loi sur les langues officielles*. Du moment que l'offre active s'institutionna-lise, d'autres gouvernements disposent désormais d'un outil de politique publique qu'ils peuvent utiliser pour organiser leur propre prestation de services gouvernementaux dans la langue de la minorité.

Le Manitoba est la première province canadienne à mettre en application l'offre active. En 1989, la province a adopté sa première *Politique des services en langue française,* qui prévoit que des services en français doivent être offerts dans les régions désignées dans la mesure du possible. Or la politique est rapidement modifiée en 1991 pour y inclure le principe de l'offre active, qui devient l'élément fondamental dans la mise en œuvre de la politique (Chartier, 1998, en ligne). Cet ajout à la politique prévoit que,

> [e]n vertu du concept de l'offre active, les prestateurs de services feront savoir au public qu'il peut s'adresser à eux et se faire servir dans les deux langues officielles. Ils veilleront à ce que le grand public se sente également à l'aise lorsqu'il fait affaire dans la langue officielle de son choix. L'offre de services en langue française doit être manifeste. Les membres du grand public doivent être convaincus dès le départ que s'ils utilisent la langue officielle de leur choix, la qualité du service n'en souffrira pas, quel que soit l'endroit où le service est offert (Chartier, 1998, en ligne).

Les éléments clés de cette définition sont la qualité équivalente des services dans les deux langues et la création d'un environnement qui suscite la demande de services en français. Il faut noter que cette représentation de l'offre active nous apparaît plus généreuse que celle qui a été codifiée pour les institutions fédérales. De plus, le principe de l'offre active répond aux attentes de la population d'expression française du Manitoba, telles qu'elles sont colligées dans le rapport Chartier de 1998 sur la mise à jour de la politique. Il souligne que cette population « désire fortement recevoir un traitement équivalent lorsqu'elle demande des services en français […] De plus, elle ne veut pas être obligée de faire des démarches extraordinaires pour obtenir ces services en français » (Chartier, 1998, en ligne). Depuis, la politique a été revue, et ses principes, y compris l'offre active, ont été enchâssés dans une nouvelle *Loi sur l'appui à l'épanouissement de la francophonie manitobaine.* Toutefois, l'ampleur de la définition a été réduite, les références à la création d'un environnement qui suscite la demande ayant été abandonnées.

La deuxième province à intégrer formellement l'offre active est le Nouveau-Brunswick. Le concept a été introduit lors de la révision de la *Loi sur les langues officielles* en 2002. L'obligation de mettre en œuvre l'offre active se retrouve à l'article 28 de la loi, qui prévoit qu'il « incombe aux institutions de veiller à ce que les mesures voulues soient prises pour informer le public que leurs services lui sont offerts dans la langue officielle de son choix». Au-delà de cet extrait, il n'y a pas de définition précise de ce qu'est l'offre active. Malgré tout, le gouvernement a développé un guide pour aider les institutions à la mettre en œuvre dans leurs activités quotidiennes (Nouveau-Brunswick, s. d.). Si la qualité équivalente des services dans les deux langues officielles n'est pas évoquée ici, c'est qu'elle est comprise dans d'autres dispositions ailleurs. Par exemple, la notion d'égalité entre les deux langues fait l'objet d'obligations constitutionnelles et législatives dans la *Charte canadienne des droits et libertés* et dans la *Loi reconnaissant l'égalité des deux communautés linguistiques officielles*, ce qui fait que cette égalité doit aussi se refléter dans les services offerts à la population, sans qu'il soit nécessaire de le répéter dans la définition de l'offre active (CSF, 2016 : 52).

En Ontario, l'offre active a fait son chemin dans la fonction publique avant de se retrouver, dans une certaine mesure, dans un règlement d'application de la *Loi sur les services en français* (LSF). En 2006, dans un document produit pour le Conseil des ministres, le secrétaire Tony Dean affirmait, dans *OPS Framework for Action : A Modern Ontario Public Service*, que la fonction publique ontarienne ne remplissait pas ses obligations à l'égard de la LSF en n'offrant pas ses services de façon active. En 2008, l'Office des affaires francophones fait paraître un guide sur l'offre de services en français dans lequel il est précisé que l'offre active doit être orientée sur les résultats, être intégrée au modèle de prestation des services d'un ministère, être le résultat d'un dialogue avec la population servie, être le reflet des besoins de la population et que c'est la responsabilité des institutions de la mettre en œuvre. Cette représentation de l'offre active peut paraître ambitieuse, mais elle n'est qu'un guide non contraignant, ce que dénoncera le Commissariat aux services en français (CSF), qui souhaitait une véritable directive afin de créer un environnement qui suscite la demande et réponde aux besoins spécifiques des francophones (Ontario. Commissariat aux services en français, 2010 : 11).

Si les attentes étaient élevées, la réponse à la recommandation a déçu le CSF. Le gouvernement n'a fait qu'ajouter à un règlement l'obligation pour les tiers qui sont désignés pour offrir des services en français de faire de l'offre active. Ce règlement de 2011 prévoit que les tiers doivent «prendre des mesures appropriées pour informer [le public], notamment par entrée en communication avec lui ou encore par signalisation, avis, ou documentation sur les services, que le service est offert en français, au choix» (Ontario, Règlement de l'Ontario 284/11, par. 2 [2], en ligne). Ce règlement repose sur la bonne volonté des tiers et n'impose aucune obligation aux autres institutions gouvernementales. L'adoption de l'offre active au sein du gouvernement ontarien demeure donc toujours plutôt limitée bien que des ministères aient pris l'initiative de se doter de plans d'action pour l'intégrer à leurs pratiques (Cardinal, Normand et Plante, 2017).

Une dernière juridiction mérite d'être mentionnée. Le Nunavut a adopté deux lois à caractère linguistique en 2008 (qui sont progressivement entrées en vigueur à partir de 2013), et ces deux lois font référence à l'offre active, mais dans des contextes différents. Rappelons qu'au Nunavut, en plus du français et de l'anglais, l'inuit est aussi une langue officielle. Ainsi, dans le cas de la *Loi sur les langues officielles du Nunavut*, il revient au responsable administratif d'une institution de veiller à garantir une offre active de services, à informer le public de son droit de communiquer dans sa langue officielle préférée et de recevoir les services dans cette langue.

Dans le cas de la *Loi sur la protection de la langue inuit*, l'offre active est définie dans la section sur la fonction publique comme «l'explication claire, donnée en langue inuit, du droit d'un particulier d'utiliser la langue inuit lors du recrutement et en cours d'emploi, et fournie de manière culturellement appropriée et non coercitive» (Nunavut, en ligne). Cette définition a deux particularités : d'abord, elle ne concerne pas la prestation de services au public, mais aide plutôt les individus qui souhaitent utiliser l'inuit en milieu de travail ; ensuite, elle introduit l'idée que l'offre active doit se faire de manière culturellement appropriée, ce qui «attire l'attention du fonctionnaire sur les subtilités culturelles du peuple inuit et sur le traitement à accorder aux candidats et à la langue inuit au sein de la fonction publique du Nunavut» (CSF, 2016 : 55). Ce concept implique que les besoins particuliers d'une minorité peuvent être différents de ceux de la majorité et que les services doivent alors être offerts d'une façon différente. Cette idée renforce donc le besoin d'une consultation soutenue auprès de la communauté pour bien connaître ses besoins et ses attentes à l'égard de la prestation de services.

Peu à peu, d'autres provinces vont adhérer plus explicitement au principe de l'offre active. Comme nous l'avons souligné en introduction, le principe s'est diffusé dans diverses provinces, dans des secteurs variés, et des acteurs politiques, institutionnels et communautaires se sont approprié le principe. Or, avec le temps, les définitions qui ont été adoptées tendent à devenir plus techniques ou formalistes. Elles décrivent généralement le seuil minimal qui doit être atteint par les institutions pour informer adéquatement le public de la disponibilité des services en français.

De plus, des campagnes sont mises en place par des acteurs de la société civile pour inciter la population à adhérer au principe de la demande active, ce qui équivaut à remettre le fardeau de la demande importante sur les épaules de la population d'expression française et à faire abstraction des obligations qui reviennent à certaines institutions dans ce domaine. Autrement dit, s'il faut inciter la population à demander des services dans la langue officielle de son choix, c'est que des institutions ne remplissent pas leurs obligations[19]. Le fardeau de mettre en œuvre l'offre active leur revient ; ce n'est pas à la population de prouver qu'il y a une demande importante, une idée qui a été rejetée dès le milieu des années 1970 par ceux qui ont développé les représentations initiales de l'offre active.

Ainsi, à l'origine de l'offre active se trouvent des représentations qui laissaient entrevoir un principe plus dynamique, qui constituait plus qu'un outil de gestion interne. Elles ouvraient la porte à la participation accrue d'une diversité d'acteurs à la coconstruction et à l'évaluation des modes de prestation des services. Elles ouvraient même la porte à une gouvernance communautaire des services gouvernementaux. Puis l'évolution de l'offre active a été marquée par son institutionnalisation progressive par le gouvernement fédéral et, ensuite, par plusieurs gouvernements provinciaux. Or, au fil de ces jalons, la coconstruction et la gouvernance se sont effacées au profit de représentations plus techniques et formalistes. Ces constats en main, il nous apparaît porteur de poursuivre l'analyse de l'offre active comme outil de politique publique et de voir comment ses représentations initiales pourraient se traduire par des mécanismes d'intervention qui soutiendraient les communautés francophones en situation minoritaire au Canada dans leur quête pour une participation et une autonomie accrues.

---

[19]   Il faut tout de même souligner que certaines de ces campagnes visent aussi le secteur privé, qui n'est pas concerné par le régime linguistique actuel, à l'exception du Nunavut, où certains services offerts par le privé sont mentionnés dans la *Loi sur la protection de la langue inuit*.

Bibliographie

BOURGEOIS, Daniel (2006). *The Canadian Bilingual Districts: From Cornerstone to Tombstone*, Montréal, McGill-Queen's University Press.

CANADA. BUREAU DU CONSEIL PRIVÉ (1967). *Rapport de la Commission royale d'enquête sur le bilinguisme et le biculturalisme: introduction générale, Livre I: les langues officielles*, Ottawa, Bureau du Conseil privé, [en ligne], [http://publications.gc.ca/site/eng/9.643815/publication.html] (24 juillet 2019).

CANADA. COMITÉ MIXTE SPÉCIAL DU SÉNAT ET DE LA CHAMBRE DES COMMUNES (1983). *Procès-verbaux et témoignages*, 32ᵉ Parlement, 1980-1983.

CANADA. COMMISSARIAT AUX LANGUES OFFICIELLES (1972). *Deuxième rapport annuel 1971-1972*, Ottawa, Le Commissaire.

CANADA. COMMISSARIAT AUX LANGUES OFFICIELLES (1978). *Rapport annuel 1977*, Ottawa, Le Commissaire.

CANADA. COMMISSARIAT AUX LANGUES OFFICIELLES (1979). *Rapport annuel 1978*, Ottawa, Le Commissaire.

CANADA. COMMISSARIAT AUX LANGUES OFFICIELLES (1980). *Rapport annuel 1979*, Ottawa, Le Commissaire.

CANADA. COMMISSARIAT AUX LANGUES OFFICIELLES (1981). *Rapport annuel 1980*, Ottawa, Le Commissaire.

CANADA. COMMISSARIAT AUX LANGUES OFFICIELLES (1982). *Rapport annuel 1981*, Ottawa, Le Commissaire.

CANADA. COMMISSARIAT AUX LANGUES OFFICIELLES (2016). *L'accueil bilingue dans les institutions fédérales: parlons-en?*, Ottawa, Ministre des Travaux publics et des Services gouvernementaux.

CANADA. CONSEIL DU TRÉSOR (1982). *Circulaire nᵒ 1982-6: les politiques et programmes fédéraux en matière de langues officielles au sein de la fonction publique fédérale: actions requises, 1982*, document divulgué en vertu de la *Loi sur l'accès à l'information*.

CANADA. MINISTÈRE DE LA JUSTICE (1985). *Loi sur les langues officielles*, [en ligne)], [https://laws-lois.justice.gc.ca/fra/lois/O-3.01/] (24 juillet 2019).

CANADA. PARLEMENT. CHAMBRE DES COMMUNES (1988a). *Débats de la Chambre des communes: compte rendu officiel, 33ᵉ législature, 2ᵉ session, vol. 10*, [en ligne], [http://parl.canadiana.ca/view/oop.debates_CDC3302_10/1?r=0&s=1] (24 juillet 2019).

CANADA. PARLEMENT. CHAMBRE DES COMMUNES (1988b). *Procès-verbaux et témoignages du Comité législatif sur le projet de loi C-72, Loi concernant le statut et l'usage des langues officielles du Canada*, [en ligne], [http://parl.canadiana.ca/view/oop.com_HOC_3302_59_2/1?r=0&s=1] (24 juillet 2019).

CANADA. SECRÉTARIAT DU CONSEIL DU TRÉSOR (2012). *Politique sur les langues officielles*, [en ligne], [https://www.tbs-sct.gc.ca/pol/doc-fra.aspx?id=26160] (24 juillet 2019).

CARDINAL, Linda, Martin NORMAND et Nathalie PLANTE (2017). «La coconstruction de l'offre active de services en français au sein du secteur de la justice en Ontario», dans Marie Drolet, Pier Bouchard et Jacinthe Savard (dir.), *Accessibilité et offre active: santé et services sociaux en contexte linguistique minoritaire*, Ottawa, Les Presses de l'Université d'Ottawa, p. 99-119.

CHARBONNEAU, François (2011). «Dans la langue officielle de son choix: la loi canadienne sur les langues officielles et la notion de "choix" en matière de services publics», *Lien social et Politiques*, n° 66, p. 39-63.

CHARTIER, Richard (1998). *Avant toute chose, le bon sens: un rapport et des recommandations sur les services en français au sein du gouvernement du Manitoba*, [en ligne], [https://www.gov.mb.ca/fls-slf/report/toc.html] (29 juillet 2019).

DEVEAU, Kenneth, Rodrigue LANDRY et Réal ALLARD (2009). *Utilisation des services gouvernementaux de langue française: une étude auprès des Acadiens et francophones de la Nouvelle-Écosse sur les facteurs associés à l'utilisation des services gouvernementaux en français*, Moncton, Institut canadien de recherche sur les minorités linguistiques.

DROLET, Marie, Pier BOUCHARD et Jacinthe SAVARD (dir.) (2017). *Accessibilité et offre active: santé et services sociaux en contexte linguistique minoritaire*, Ottawa, Les Presses de l'Université d'Ottawa.

FAUCHER, Rolande (2008). *Jean-Robert Gauthier: «Convaincre... sans révolution et sans haine»*, Sudbury, Éditions Prise de parole.

LAPOINTE-GAGNON, Valérie (2018). *Panser le Canada: une histoire intellectuelle de la commission Laurendeau-Dunton*, Montréal, Éditions du Boréal.

LASCOUMES, Pierre, et Patrick LE GALÈS (2004). *Gouverner par les instruments*, Paris, Presses de Sciences Po.

LASCOUMES, Pierre, et Patrick LE GALÈS (2007). *La sociologie de l'action publique*, Paris, Armand Colin.

NOUVEAU-BRUNSWICK (s. d.). *Offre active de services dans les deux langues officielles*, [en ligne], [https://www2.gnb.ca/content/dam/gnb/Departments/ohr-brh/pdf/tk/TK-Active-Offer-Offre-active-FR.pdf] (24 juillet 2019).

NOUVEAU-BRUNSWICK (2002). *Loi sur les langues officielles*, [en ligne], [http://laws.gnb.ca/fr/ShowPdf/cs/O-0.5.pdf] (24 juillet 2019).

NUNAVUT. MINISTÈRE DE LA JUSTICE (2018). *Loi sur la protection de la langue inuit*, [en ligne], [langcom.nu.ca/sites/langcom.nu.ca/files/Inuit%20Language%20Protection%20Act%20-%20FR.pdf] (24 juillet 2019).

ONTARIO (2011). *Règlement de l'Ontario 284/11: prestation de services en français pour le compte d'organismes gouvernementaux*, [en ligne], [https://www.ontario.ca/fr/lois/reglement/r11284] (24 juillet 2019).

ONTARIO. COMMISSARIAT AUX SERVICES EN FRANÇAIS (2010). *Rapport annuel 2009-2010: l'accès aux solutions*, Toronto, Imprimeur de la Reine pour l'Ontario.

ONTARIO. COMMISSARIAT AUX SERVICES EN FRANÇAIS (2016). *Rapport spécial: l'offre active de services en français: la clé de voûte à l'atteinte des objectifs de la* Loi sur les services en français, Toronto, Imprimeur de la Reine pour l'Ontario.

ONTARIO. COMMISSARIAT AUX SERVICES EN FRANÇAIS (2018). *La modernisation de la* Loi sur les langues officielles*: à la recherche de terrains d'harmonisation interjuridictionnelle*, mémoire présenté au Comité permanent des langues officielles, [en ligne], [https://www.noscommunes.ca/Content/Committee/421/LANG/Brief/BR10222098/br-external/OfficeOfTheFrenchLanguageServicesCommissioner-f.pdf] (24 juillet 2019).

ROY, Ingride (2012). «Les diverses solutions "intégratives" et "autonomistes" offertes aux communautés de langue officielle du Canada pour préserver et développer leur spécificité», *Minorités linguistiques et société*, n° 1, p. 115-144.

SIMARD, Louis (2019). «Comprendre l'action publique par ses instruments», dans Aude-Claire Fourot, *et al.* (dir.), *Le Canada dans le monde: acteurs, idées, gouvernance*, Montréal, Les Presses de l'Université de Montréal, p. 331-346.

TRAISNEL, Christophe (2012). «Les groupes d'aspiration "francophoniste": jalons pour une comparaison des aspects politiques des francophonies canadiennes», dans Lucille Guilbert (dir.), *Mouvements associatifs dans la francophonie nord-américaine*, Québec, Les Presses de l'Université Laval, p. 43-68.

Archives

Université d'Ottawa, Centre de recherche en civilisation canadienne-française
Fonds Jean-Robert Gauthier, P348

Régimes linguistiques et symboliques : les structures juridiques de la littérature acadienne

Mathieu Wade

Université de Moncton

C'est devenu un tropisme d'affirmer que les littératures francophones minoritaires au Canada sont inscrites dans les enjeux identitaires et politiques de leurs communautés. En tant que littératures mineures, elles auraient tendance à être «immédiatement branchée [s] sur la politique» (Deleuze et Guattari, 2001 : 29), et la question centrale de ces «petites littératures» serait celle «de la nation, de la langue et du peuple, de la langue du peuple, de la définition linguistique» (Casanova, 1999 : 262). Parlant des littératures francophones minoritaires, François Paré remarque, en effet, que «la poésie, en particulier, a été (et est toujours) profondément marquée par son enracinement dans un *nous*» (Paré, 1997 : 117). Ce paradigme de l'exiguïté, qui consiste à contextualiser les œuvres, à les considérer selon les conditions sociales et culturelles de leur production, s'est imposé avec une force indéniable parce qu'il rend ces littératures lisibles. En faisant de leurs conditions de production la clé de leur interprétation, il parvient à la fois à inscrire ces littératures dans la «République mondiale des Lettres» en conservant leurs propres caractéristiques et à les ancrer pleinement dans leurs milieux respectifs, en éclairant les questions identitaires et politiques des peuples dont elles sont issues.

Le cas de l'Acadie est emblématique de l'imbrication du littéraire, du politique et de l'identitaire. Au tournant des années 1970, alors que s'institutionnalisait une littérature moderne, avec ses maisons d'édition, ses revues, ses prix, ses critiques, la littérature en général, et la poésie en particulier, accompagnait le bouillonnement néonationaliste qui traversait la société acadienne (Belliveau, 2014). Herménégilde Chiasson, figure incontournable du milieu depuis son institutionnalisation, rappelle qu'à cette époque, «la littérature se fera à son insu la cage de résonnance [*sic*] de ce mouvement [...] et les lectures de poésie prendront souvent l'allure de rassemblements politiques beaucoup plus que de manifestations littéraires» (Chiasson, 1998 : 79). En Acadie, la naissance de la littérature était largement vécue, par les écrivains comme par leur public, comme une prise de parole mettant enfin un terme à un « long silence ». Dans son *Histoire de la littérature acadienne*, Marguerite Maillet estime que les auteurs qui émergent dans les années 1960 et 1970 « ont le sentiment, tout comme Antonine Maillet, de représenter la véritable Acadie et d'être à l'origine de la première prise de parole en Acadie » (Maillet, 1983 : 9). Il est évidemment inexact et exagéré d'affirmer qu'il s'agissait d'une première prise de parole – le nationalisme acadien en était à l'orée de ses cent ans et « l'Acadie du discours » (Hautecoeur, 1975) avait déjà été théorisée –, mais il s'agissait indéniablement d'une parole nouvelle, qui aspirait à inscrire le discours acadien dans les luttes du xxe siècle et qui cherchait à créer un champ littéraire propre à l'Acadie, à inscrire ses œuvres dans la durée. On passait d'une littérature éphémère publiée dans la presse écrite[1] à une littérature institutionnalisée (de Finney, 1991 ; Bourque, 2015). S'il est possible de parler d'une première prise de parole, c'est dans la mesure où cette littérature s'est dotée d'un espace propre et a accompagné un mouvement néonationaliste critique des élites traditionnelles et de leur emprise sur le discours acadien. La littérature a été au cœur d'une libération et d'une démocratisation de la parole et de la langue acadiennes (Boudreau et Boudreau, 2004). En ce sens, elle est nécessairement inscrite dans une trame narrative nationale où elle est tantôt le reflet, tantôt le fer de lance des luttes acadiennes.

Nombreux sont d'ailleurs les chercheurs à estimer que les écrivains et les écrivaines sont les porte-paroles d'une Acadie contemporaine (Boudreau et Boudreau, 2004 ; Boudreau, 1998), caractérisée par son identité postmoderne, hybride et fluide (Lord, 2004 ; McLaughlin, 2001, 2010, 2013 ; Leclerc, 2006) et par son urbanité (Paré, 1998 ; Lord, 2006 ; Brun del Re, 2016 ; Doyon-Gosselin et Morency, 2004 ; Morency, 2007 ; Boudreau, 2007). Les artistes en général, et les littéraires en particulier, ont en effet succédé à l'élite clérico-nationaliste et se sont imposés comme une « élite définitrice » de la francophonie. À propos du cas acadien, le sociologue Joseph Yvon Thériault remarque à juste titre que, depuis

---

[1]   Il y a bel et bien des œuvres parues à cette époque, on pense à *Les Acadiens à Philadelphie*, de Pascal Poirier, à *Elle et lui : tragique idylle du peuple acadien*, de Antoine-J. Léger, aux *Poèmes acadiens*, de Napoléon Landry, ou à *L'émigrant acadien*, de James Branch. Or en l'absence d'une institutionnalisation du champ littéraire, ces œuvres n'ont pas réussi à faire école.

les années 1960, ce sont «des historiens, des artistes et maintenant des juristes qui défini[ssent] le discours nationalitaire» (Thériault, 1994: 18).

Il faut évidemment prendre garde de ne pas «confiner ces littératures à n'être que l'expression symbolique, plus ou moins bien déguisée, de phénomènes sociaux» (Paratte, 1986: 41). La littérature acadienne n'est pas tout entière définie par l'acadianité. Nous pensons cependant qu'il faut nuancer la thèse voulant qu'elle ait «assez vite tourné le dos à cette veine nationaliste et régionaliste» qui la caractérisait dans les années 1970 (Boudreau, 1998: 10). Si, comme le remarque Boudreau, la littérature acadienne s'est écartée des discours nationalistes propres aux années 1970, nous tenterons de montrer qu'elle continue d'accompagner le nationalisme acadien dans ses formes plus contemporaines, qu'elle reproduit plusieurs de ses éléments caractéristiques. Bien que le nationalisme se soit transformé, les liens qui l'unissent à la littérature demeurent. Or, paradoxalement, alors que la production littéraire acadienne tend à être lue par rapport au parcours politique et identitaire de l'Acadie et que les écrivains et les écrivaines sont présentés comme des définisseurs d'identité, dont les œuvres posent les jalons du cheminement identitaire acadien, rares sont les études littéraires qui s'appuient sur les sciences sociales pour comprendre les mutations politiques et sociales du nationalisme acadien[2]. Il nous semble pourtant y avoir là un riche potentiel interdisciplinaire.

Dans cet article, nous proposons de puiser dans les sciences sociales afin d'éclairer les représentations de l'Acadie dans la littérature. Précisons d'emblée que ce n'est pas la littérature acadienne dans son ensemble que nous souhaitons examiner, mais plutôt la littérature acadienne *en tant qu'elle aborde l'Acadie*. Pour ce faire, nous nous appuierons sur un corpus composé majoritairement, mais non exclusivement, d'œuvres de Gérald Leblanc, de France Daigle et de Jean Babineau. Au-delà de ces œuvres, nous nous intéresserons aussi aux lectures et aux analyses qui en ont été faites.

Nous avancerons trois hypothèses principales. Premièrement, le nationalisme acadien, à savoir la formulation d'un discours inscrivant

---

[2]   En effet, bien que les grandes lignes du parcours acadien soient souvent rappelées, les sciences sociales (histoire, sociologie, économie, science politique) sont rarement citées. Et inversement, ces domaines sont rarement pris en compte en études littéraires.

le peuple acadien dans l'histoire, est aujourd'hui caractérisé par sa judiciarisation et il est balisé par le régime linguistique qui s'est mis en place
à la fin des années 1960 et s'est institutionnalisé dans les années 1980[3].
Deuxièmement, le régime linguistique qui structure désormais le nationalisme a institutionnalisé un certain rapport au territoire, à l'identité et
au politique[4]. Troisièmement, ces rapports au territoire, à l'identité et au
politique trouvent écho à la fois dans le nationalisme et dans les représentations de l'Acadie en littérature, qu'ils en sont la trame de fond.

Les structures juridiques du discours identitaire acadien

À l'instar des grandes nations, l'Acadie a historiquement cherché à se
constituer en tant que sujet politique possédant une littérature, des
symboles, des sciences sociales et des institutions *nationales* (Thériault,
1995; Landry, 2015): En tant que nation, elle cherche à devenir une
réalité autoréférentielle, à contenir à l'intérieur de ses frontières et de ses
institutions les principaux ressorts et mécanismes de son devenir. Or en
l'absence d'État, les rapports de l'Acadie aux frontières, à l'appartenance
au groupe et à l'action collective demeurent problématiques. En effet,
la notion de «société» en modernité demeure intimement liée à l'État-
nation, à l'idée selon laquelle aux frontières d'une nation doivent corres-
pondre des frontières politiques (Beck, 2003[5]). En ce sens, l'Acadie n'est
pas à proprement parler une société.

Si l'Acadie ne possède pas un État propre, elle s'inscrit toutefois de
façon particulière dans l'État par l'entremise du régime linguistique. La
mise en place du régime linguistique a permis de délimiter un espace

---

[3]   Pour des analyses plus approfondies du régime linguistique, consulter (Chouinard,
     2016; Denis, 2017; Forgues, 2010; Foucher, 2008b; Heller, 2011; Thériault,
     2003, 2014; Traisnel, 2012).

[4]   Nous empruntons ces catégories à Deleuze et Guattari, pour qui les littératures
     mineures sont caractérisées par la déterritorialisation de la langue, l'omniprésence
     du politique et une forte valeur collective. Nous leur donnerons cependant un sens
     nouveau, plus adapté au contexte acadien.

[5]   Beck définit ainsi le nationalisme méthodologique comme la tendance à lier société,
     État et nation: «*It equates societies with nation-state societies […] It assumes that
     humanity is naturally divided into a limited number of nations, which internally orga-
     nize themselves as nation-states and externally set boundaries to distinguish themselves
     from other nation-states*» (Beck, 2003 : 453).

institutionnel et discursif conçu comme «national», qui sert à baliser ses frontières. Dans une certaine mesure, le régime reproduit effectivement certaines caractéristiques centrales des États-nations en modernité: il accorde des droits et assure un développement (Normand, 2012; Forgues, 2010). Or le régime linguistique ne représente qu'une part restreinte de l'État et ne recoupe que certains éléments du territoire, de l'identité et du pouvoir. Pourtant, comme nous le verrons, il structure le discours acadien, il agit implicitement comme toile de fond des représentations collectives.

Institutionnalisation du régime linguistique

On peut définir un régime linguistique comme l'ensemble des dispositifs juridiques, politiques et symboliques (Normand, 2015) qui déterminent le statut et la place des langues dans une société donnée. Un régime linguistique balise les statuts publics et privés des langues et définit les ressources, les services et les protections auxquels ont droit les locuteurs du fait de leur appartenance à une communauté linguistique reconnue. Le statut public d'une langue réfère à l'ensemble des instances et des lieux où la circulation d'une langue est garantie et protégée par l'État, tandis que le statut privé renvoie aux lieux et aux instances où la capacité de circuler d'une langue est négociée en fonction d'une logique concurrentielle et est ouverte à l'offre et à la demande économiques, sociales et culturelles (Van Parijs, 2010; Wade, 2015; Bourdieu, 2001).

Au Canada et au Nouveau-Brunswick, le régime linguistique actuel a été mis en place en 1969, avec l'adoption des lois sur les langues officielles fédérale et provinciale. Ce nouveau régime reconnaissait l'égalité du français et de l'anglais au sein de l'État. Il désignait ainsi les espaces où les langues officielles auraient un droit inaliénable à circuler et institutionnalisait de ce fait un certain type de rapport entre territoire, langue et identité (Heller, 2011). Le français bénéficie depuis d'un droit de circulation dans l'appareil d'État[6], mais il ne dispose d'aucune protection dans le secteur privé (Léger, 2012).

---

[6]   Ces droits concernent essentiellement le droit de communiquer avec l'État fédéral et néobrunswickois et de recevoir des services publics fédéraux et provinciaux dans la langue officielle de son choix. Au Nouveau-Brunswick, la dualité garantit également

Depuis l'institutionnalisation du régime et, plus particulièrement, depuis son enchâssement dans la *Charte canadienne des droits et libertés*, on a assisté à une explosion de la jurisprudence en matière linguistique (Foucher, 2008a : 67). En l'absence d'institutions politiques propres, la francophonie canadienne a fait des tribunaux un moyen d'action collective privilégié. Parallèlement à l'explosion de la jurisprudence en matière linguistique, les communautés francophones se sont intégrées à l'État dans divers dispositifs de gouvernance qui visent essentiellement à la prestation de services leur étant spécifiquement destinés (Cardinal et Forgues, 2015). Constatant l'intégration croissante des communautés à l'État, le sociologue Joseph Yvon Thériault va jusqu'à déclarer que « la représentation de la communauté est principalement définie par les catégories des enveloppes budgétaires octroyées par Patrimoine canadien » (Thériault, 2007 : 235). Certains auteurs en sont ainsi venus à parler d'une « judiciarisation » de la francophonie (Thériault, 2003 ; Chouinard, 2016 ; Cardinal, 2001), à savoir sa tendance à se définir et à orienter ses actions collectives en fonction des catégories du régime linguistique.

Nous proposons comme hypothèse que le régime linguistique structure les représentations littéraires de l'Acadie, notamment en lien avec le territoire, la communauté linguistique et l'action politique.

Le territoire : une déterritorialisation de la langue

Selon Deleuze et Guattari (2001), les littératures mineures sont caractérisées par une déterritorialisation de la langue, c'est-à-dire qu'elles sont rédigées dans une langue majeure, mais depuis une situation de minorité, ce qui entraîne une série d'écarts par rapport aux normes linguistiques. Cette notion de déterritorialisation trouve un écho heuristique dans le régime linguistique lui-même.

Les régimes linguistiques néo-brunswickois et canadien sont, en effet, déterritorialisés. Ils sont globalement personnalistes, plutôt que territoriaux[7] (Foucher, 2008b). Alors qu'un régime linguistique territorialiste

---

aux francophones la gestion de leurs institutions scolaires et de leur régie de santé (Bourgeois et Bourgeois, 2012).

[7]   Certains auteurs remarquent que les décisions de la Cour suprême en matière de langues officielles ont fait du régime linguistique un modèle hybride. En effet, la Cour a reconnu que « l'objet ultime de ces droits [linguistiques] n'est pas de permettre

consiste en un ensemble de règles qui contraignent le choix des langues pouvant légitimement circuler sur un territoire donné[8] (Van Parijs, 2010), l'approche personnaliste privilégie la liberté des individus à se servir de la langue officielle de leur choix (McRae, 1975). Les régimes linguistiques néobrunswickois et canadien ne désignent pas des territoires spécifiques où les groupes linguistiques minoritaires pourraient limiter les choix linguistiques des individus et faire de leur langue la langue normale de la société et du pouvoir[9]. Le politologue Christophe Traisnel remarque justement que « la reconnaissance des minorités linguistiques au Canada est avant tout fondée sur la liberté des individus à se prévaloir d'un certain nombre de droits linguistiques, et non sur l'attribution de droits collectifs ou territorialisés » (Traisnel, 2012 : 79). Il s'agit de « donner, à ceux qui en ont besoin et qui en expriment la volonté, les moyens d'éviter un risque "comme les autres" : celui de subir, eux-mêmes ou leurs descendants, une forme de transfert linguistique préjudiciable » (Traisnel, 2012 : 72).

Le régime linguistique ne prévoit pas de mécanismes qui permettraient aux minorités linguistiques de faire de leur langue la langue de la citoyenneté sur leur territoire et qui territorialiseraient du même coup l'appartenance au groupe minoritaire. Sans frontières territoriales, les minorités linguistiques se tournent ainsi tantôt vers la généalogie (Magord et Belkhodja, 2005), tantôt vers la complétude institutionnelle pour définir leurs frontières identitaires.

La complétude institutionnelle désigne la « capacité [du groupe] de moduler les diverses composantes de la vie des individus » et de répondre à leurs aspirations par le biais d'institutions distinctes de celles de la majorité (Breton, 1994 : 60). Pour le sociologue fondateur du concept,

---

la communication entre la personne et l'État, mais le maintien et le développement des langues en situation minoritaire et des communautés qui les parlent, en tant qu'expressions de leur culture et de leur identité » (Foucher, 2008b : 399). Or comme nous le verrons avec l'école, principale institution collective des communautés francophones, le principe personnaliste y prime, nous amenant à faire une lecture globalement personnaliste du régime linguistique.

[8]   Le Québec a adopté un régime linguistique territorialisé. L'État régule les langues d'affichage commercial sur l'ensemble du territoire, la langue de travail dans les entreprises privées comptant plus de 50 employés et fait du français la langue d'instruction pour la quasi-totalité de la population.

[9]   Les municipalités peuvent néanmoins légiférer en matière d'affichage commercial sur leur territoire.

le Fransaskois Raymond Breton, «la complétude institutionnelle serait à son paroxysme lorsque la communauté ethnique parviendrait à combler tous les besoins de ses membres. Les membres n'auraient jamais à se servir des institutions majoritaires pour combler leurs besoins» (Breton, 1964: 194). En l'absence de territoire propre, les francophones auraient développé un nationalisme administratif (Bourgeois et Bourgeois, 2012), et certains auteurs vont jusqu'à parler d'un potentiel «droit à la complétude institutionnelle» dans le régime linguistique (Cardinal et Hidalgo, 2012: 61; Chouinard, 2014). Ces espaces francophones tendent également à être les objets naturels et exclusifs d'études dans le champ des sciences sociales (Allain, 2006; Allain et Chiasson, 2010; Poissant, 2001; Hao, Roy et Lacombe, 2005; Vincent, 2003; Thériault, Gilbert et Cardinal, 2008; Gilbert, 2010; Gilbert *et al.*, 2017). La littérature et les sciences sociales reproduisent à leur manière cette conception morcelée du territoire, où en l'absence de frontières claires seuls certains lieux, certaines institutions représentent, incarnent l'acadianité et dominent les représentations collectives.

Les territoires littéraires

En l'absence de territoires nationaux propres, les petites littératures francophones ont tendance à investir le territoire de significations fortes, à le nationaliser symboliquement à défaut de le faire politiquement. François Paré a bien souligné comment «les petites littératures tendent à glorifier l'espace» (Paré, 2001: 115). En Acadie, cette glorification de l'espace n'est nulle part plus manifeste que dans le cas de Moncton, érigée au rang de capitale culturelle tant chez les sociologues que chez les littéraires (Boudreau, 2007). Or en sciences sociales comme en littérature, le territoire dont il est question, en particulier dans le cas de Moncton, porte la trace de la déterritorialisation, prend la forme d'un archipel identitaire, dont on ne s'intéresse qu'aux parcelles qui renvoient à la communauté. La ville n'est représentée qu'à partir du point de vue minoritaire; ce qui dépasse les frontières du groupe tend à être assimilé à l'autre groupe et demeure ainsi absent de l'horizon des représentations collectives. «La ville correspond au besoin de reconstituer autrement ("dans la fluidité", selon Paré) l'espace identitaire» (Doyon-Gosselin et Morency, 2004: 71).

On peut distinguer deux approches principales du territoire dans la littérature acadienne contemporaine: le fragment et l'utopie de la

plénitude. La première approche, celle du fragment, consiste à repro-
duire le modèle de la complétude institutionnelle qui domine en sciences
sociales et à découper à même le territoire les parcelles appartenant à
la communauté. La ville devient alors le lieu de «solidarités restreintes :
celles du groupe d'amis, les *chums* en poésie, les errants» (Paré, 1998 :
26). On dit la ville et les liens sociaux qui s'y tissent afin de s'appro-
prier une capitale paradoxale où il n'est pas certain qu'on puisse habiter.
Gérald Leblanc interroge explicitement le statut de cette ville et la possibilité d'habiter un lieu linguistiquement hétérogène : «Qu'est-ce que ça
veut dire, venir de Moncton ? Une langue bigarrée à la rythmique chiac.
Encore trop proche du feu. La brûlure linguistique [...] Qu'est-ce que ça
veut dire, venir de nulle part ? » (Leblanc, 1988 : 161). Quelques années
après avoir posé cette question, Leblanc tente une ébauche de réponse :

> Cette ville est une invention de nous
> [...]
> Je parle de la rue st-georges et de la rue bostford
> Je parle des rues que nous habitons glorieusement
> (Leblanc, 1995 : 115-116)

La ville n'est habitable que dans la mesure où elle est inventée par un
«nous» acadien linguistiquement homogène ; Leblanc distingue deux
imaginaires, deux systèmes de référence symboliques radicalement dis-
tincts et difficilement conciliables.

La présence de l'Autre, des autres dans cette ville devient problématique dans un contexte de solidarités restreintes. Dans *Bloupe* de Jean
Babineau, où les langues se mélangent pourtant, le narrateur propose une
métaphore explicite de ce découpage de l'espace, renvoyant à l'incapacité
d'imaginer l'unité du lieu dans sa pluralité linguistique : «J'imagine, en
courant, que je tisse un cercle autour des quartiers anglais de Monckton[10].
Un filet pour les retenir». Chez Babineau, «le Moncton acadien peut se
créoliser en toute liberté dans la mesure où un écart est maintenu, c'est-
à-dire dans la mesure où lui est opposé le caractère fermé, homogène,
du Moncton anglophone» (Leclerc, 2006 : 157). L'altérité, si elle est
évoquée, ne l'est que pour témoigner de l'affront qu'elle représente ou a
représenté à l'intégrité de la présence acadienne, au rêve de l'État-nation.

---

[10]   En changeant la graphie de «Moncton» pour «Monckton», Babineau rend explicite
le lien entre la ville et le général anglais, désignant du même coup la nature hostile
et étrangère du lieu.

On isole alors les parts du « nous » dans un territoire habité aussi par l'Autre afin de pallier le fait que ce territoire est aussi « un lieu d'oppression linguistique, une entrave à la cohérence de la parole poétique » (Paré, 1998 : 26) qui exigerait une adéquation totale entre le territoire et l'identité. Entraves, les lieux de l'Autre résistent à la description. Dans *Acadie Road*, Gabriel Robichaud est incapable de dire quelque chose sur l'Autre : « À Sussex/ Ouf » (2018 : 61) ; « Je n'ai rien à dire/ Sur Florenceville » (2018 : 75) ; « On va pas à Saint-Jean » (2018 : 62) ; « À Riverview/ On dit pas très fort/ Qu'on vient/ De Riverview » (2018 : 55) ; « À Sackville/ Le monde est fier/ De venir/ De Sackville/ Y a des fois/ On se demande/ Pourquoi » (2018 : 46).

On efface ainsi la présence de l'Autre, on la biffe du territoire et du récit. Dans *Moncton Mantra*, où l'on suit les déambulations urbaines de Gérald Leblanc parmi les siens, le narrateur annonce ouvertement sa stratégie d'effacement pour donner à son identité son plein droit de cité :

> J'ai l'impression que ma langue n'appartient pas à ce décor, tout en sachant qu'elle habite cette ville depuis toujours, subtile et séditieuse. Je remarque, après avoir décidé de ne plus parler anglais nulle part, que je l'entends moins. Ou plutôt, le français passe au premier plan, entouré d'un bruit autre, comme celui d'une radio qui joue dans une pièce à côté. Ainsi je circule dans ma langue en explorant ma ville (Leblanc, 1997 : 47-48).

Cette ville devenue omniprésente, tant en prose qu'en poésie[11], demeure un lieu problématique, une présence paradoxale. Les écrivains cherchent à « reconnaître Moncton dans ses formes concrètes », tout en l'amputant de lieux et de points de vue. En somme, il s'agit surtout de « lui donner forme dans l'imaginaire » proprement acadien (Lord, 2006 : 69).

La seconde approche consiste à réinventer la ville, à en faire une utopie où non seulement l'Autre avec qui ce territoire est partagé n'est pas mentionné, mais où il n'existe plus. Il s'agit d'un rapport fantasmé au territoire, où la complétude institutionnelle serait totale, s'étendrait au territoire, où l'archipel deviendrait continent, contigu, où l'Acadie ferait enfin société. L'exemple le plus explicite est le roman uchronique *Laville* de Germaine Comeau, où la Déportation n'a pas eu lieu et où Grand-Pré,

---

11   « À chaque décennie depuis 1970, le nombre d'œuvres qui participent à la construction d'un espace urbain dans la littérature acadienne double ; dans la poésie, c'est près de la moitié des recueils qui évoquent Moncton alors que, dans les romans, c'est le tiers » (Lord, 2006 : 74).

«joyau culturel du Canada», est le siège d'une métropole acadienne de deux millions d'habitants (Comeau, 2008 : 111).

On retrouve également un tel territoire fantasmé chez France Daigle. Les forces qui sont à l'œuvre dans les dernières fictions de Daigle témoignent, d'une part, «de l'utopie [...] de vivre dans une capitale acadienne [...] et, d'autre part, de la possibilité de pouvoir enfin habiter l'espace, de prendre sa place dans cette "société liminaire" qu'est l'Acadie» (Doyon-Gosselin et Morency, 2004 : 72).

Les deux approches, le fragment et l'utopie, ont en commun d'évacuer du territoire la présence problématique de l'Autre. Or, comme nous le verrons, l'Autre demeure également une figure problématique à l'intérieur du régime linguistique.

L'identité linguistique :
une question individuelle ou collective ?

La deuxième caractéristique des littératures mineures est leur forte composante collective. Elles parlent de la collectivité, l'interrogent, la nomment. C'est ce qu'exprime Pascale Casanova lorsqu'elle affirme que ces littératures sont travaillées par la question de «la langue du peuple, de la définition linguistique» (Casanova, 1999 : 262). À cet effet, le régime linguistique a comme particularité de maintenir une incertitude quant aux frontières de la communauté, entraînant de ce fait un certain rapport à la langue et à l'identité.

Il découle en effet du principe personnaliste du régime linguistique une conception individualiste de l'identité linguistique, selon laquelle il revient à chacun de se définir comme francophone et de négocier au quotidien son identité et ses comportements linguistiques. Le régime linguistique offre aux *individus* qui le souhaitent le droit d'obtenir des services publics dans la langue officielle de leur choix. Il agit comme une bouée pour celles et ceux qui souhaitent préserver leur langue dans un environnement difficile, mais il ne vise pas à généraliser l'usage de leur langue minoritaire[12]. L'acquisition de la langue française par la majorité ne fait

---

[12]   Au contraire, l'accès à la principale institution collective des Acadiens, l'école, est fortement encadré. L'article 23 de la *Charte canadienne des droits et libertés* précise clairement qui sont les ayants droit linguistiques, ceux qui peuvent obtenir une

pas partie des objectifs du régime ni des objectifs du milieu associatif acadien. Le Commissariat aux langues officielles du Canada reconnaît à ce titre que l'objectif du régime linguistique implique que « le gouvernement fédéral doit être bilingue pour ainsi ne pas obliger les citoyens à l'être » (Commissariat aux langues officielles, s. d.).

Le régime linguistique cherche à influencer les comportements individuels des francophones, à favoriser leur usage du français et leur identification à la francophonie[13], sans pour autant réguler l'usage des langues dans la sphère privée ou dans l'espace urbain. Or la question de savoir *qui* fait partie du groupe, quelles pratiques, quelles caractéristiques permettent de confirmer l'appartenance, demeure contentieuse (Heller, 2011). L'identité francophone renvoie, d'abord et avant tout, à un ensemble de pratiques difficiles à codifier et à réguler. Entre l'assimilation et la pleine appartenance, il y a tout un spectre[14]. En effet, selon la mesure choisie, la communauté francophone en situation minoritaire au pays varie de 2,7 millions de membres (si l'on définit un francophone comme quelqu'un ayant une connaissance du français) à 340 000 membres (si l'on définit un francophone comme quelqu'un ne parlant que le français à la maison). Les comportements des individus déterminent leur degré d'appartenance ; il importe dès lors de définir les pratiques langagières souhaitables, légitimes, authentiques, problématiques, etc. (Boudreau, 2016 ; Violette, 2010 ; Boudreau et Dubois, 1996 ; Heller, 2007).

---

instruction dans les établissements scolaires de la minorité sur une base individuelle et non territoriale. Seuls les citoyens canadiens dont la première langue officielle est le français, ou qui ont obtenu une instruction en français, ou dont un enfant fréquente une école francophone ont le droit d'envoyer leurs enfants à l'école acadienne. L'école francophone vise plus à protéger de l'assimilation des individus appartenant ou dont les ancêtres ont appartenu à la francophonie qu'à faire du français une langue publique, une langue sociétale, une langue commune à l'ensemble de la population sur un territoire donné.

[13] Ces deux objectifs renvoient à la vitalité ethnolinguistique et à la construction identitaire. La vitalité ethnolinguistique propose un modèle de développement psycholangagier rendant compte des attitudes et des habitudes langagières (Landry, Allard et Deveau, 2013). Ce terme apparaît à l'article 41 de la partie VII de la *Loi sur les langues officielles* fédérale. La construction identitaire, quant à elle, est la mise en œuvre de ce modèle théorique dans les écoles (ACELF, 2015).

[14] L'assimilation est généralement caractérisée par le changement de langue principale à la maison. Elle peut être partielle ou totale, selon que l'individu abandonne complètement ou non l'usage de sa langue maternelle (Castonguay, 1994).

En l'absence de droits territoriaux qui institueraient une langue commune à la population d'un territoire donné, la question de l'appartenance à la communauté linguistique est individualisée et renvoie à une responsabilité individuelle, notamment dans les espaces privés qui ne sont pas protégés par le régime linguistique. Dans le cadre du régime, on demande à l'État de créer des conditions favorables à l'identité francophone, mais le développement et la vitalité de la communauté ne sont généralement pas pensés dans ses relations avec la majorité[15]. D'ailleurs, « rares sont les études sur les rapports entre les locuteurs anglophones et les locuteurs francophones du Canada » (Dubois, 2003 : 150).

La question acadienne renvoie à une relation bilatérale entre la communauté francophone et l'État ; elle peine à devenir une question sociétale, commune à l'ensemble des citoyens. L'Autre n'est ni un interlocuteur ni un objet de savoir dans la mesure où rien n'est attendu de lui dans le cadre du régime. Les savoirs étant produits dans la communauté, l'anglais n'est presque exclusivement pensé qu'en tant qu'il pénètre à l'intérieur des frontières du groupe francophone, qu'en tant qu'il se pose comme potentiel problème à l'intégrité de la communauté francophone, de ses pratiques, de son identité et de ses discours (Arrighi et Boudreau, 2016 ; Arrighi et Violette, 2013 ; Boudreau, 2001 ; Gérin-Lajoie, 2001).

La littérature et l'Autre

La littérature a eu tendance à écarter l'Autre du territoire, afin de laisser libre-cours au « nous ». Pourtant, la littérature acadienne porte la trace de l'Autre, de l'autre langue, qui devient, comme dans le régime linguistique, une question individuelle ou communautaire, mais rarement sociétale. Catherine Leclerc remarque très bien comment « le plurilinguisme s'inscrit parmi un ensemble de procédés propres aux communautés minoritaires. Il en découle une entreprise de contournement des normes linguistiques au profit de l'évocation d'une réalité où le conflit des codes se vit *de l'intérieur* » (Leclerc, 2004 : 294, nous soulignons).

---

[15] Le milieu associatif acadien ne tend pas à se mobiliser afin de favoriser l'apprentissage du français langue seconde dans les écoles de la majorité anglophone. Il s'agit d'un enjeu propre à l'autre société.

Les anglophones, pourtant majoritaires sur le territoire, sont ainsi paradoxalement absents de la littérature, de la fiction, tout comme ils le sont des sciences sociales. Si leur langue est présente, eux, ne le sont pas, sauf sous des formes caricaturales. La fonction de l'Autre semble se résumer à celle d'entraver l'acadianité.

Le roman *Vortex* de Jean Babineau s'ouvre justement sur une scène monctonienne où un personnage anglophone secondaire est présenté. Le protagoniste travaille au Wallco, un magasin à rayons. Son superviseur, O'Reilly, un anglophone unidimensionnel, est entièrement caractérisé par son rapport aux Acadiens : «On soupçonne qu'il n'aime pas les Français et certains racontent qu'il est un membre actif du CoR» (Babineau, 2003 : 9). Dans *Bloupe*, Babineau «réussit à construire un discours plurilingue mais élabore parallèlement un récit ponctué de conflits entre les groupes linguistiques» (Richard, 1998 : 31). Ici encore, l'anglais est présent en tant que langue faisant partie de l'Acadie, mais l'anglophone, comme Autre, comme personnage, n'existe qu'en tant que figure hostile au devenir acadien. Babineau met en scène un professeur, Mr. M. X. Echo, qui donne un cours sur la Déportation. Cet extrait ne fait que confirmer l'incompréhension et l'incommunicabilité constitutives des rapports entre Acadiens et anglophones :

> *What is an Acadian? Ha! Ha! You ask me? [...] Well! You know, don't you that there are actually some people who call themselves Acadians? Well! They call themselves so because they were deported. Trust me, I'm a historian. Think of it! Giving themselves a name because they were taken away from where they had no business being in the first place. Hum? The nerve! But, it is true, there once was a territory called Acadye (like in the verb dying) (to die) (etc.) but this is so vague. To study and research this carefully will only lead you to konklude that it is a gross historical misunderstanding [...] Don't get me wrong, I'm not a racist. Some of my best friends are French* (Babineau, 1993 : 172)[16].

---

16   «Qu'est-ce qu'un Acadien? Ha! Ha! Vous me le demandez? [...] Eh bien! Vous savez qu'il y a des gens qui s'appellent "Acadiens", non? Bien! Ils s'appellent ainsi parce qu'ils ont été déportés. *Faites-moi confiance*, je suis un historien. Pensez-y! Se donner un nom parce qu'ils ont été déportés d'où ils n'avaient rien à faire en premier lieu. Hum? Le front! Mais c'est vrai qu'il y avait jadis un territoire appelé Acadye (comme le verbe mourir) (etc.) mais c'est si flou. Étudier ceci ne vous mènera qu'à conclure qu'il s'agit d'un malentendu historique [...] Comprenez-moi bien, je ne suis pas raciste. Certains de mes meilleurs amis sont acadiens» (nous traduisons).

Le plus récent épisode d'*Acadieman* de Daniel LeBlanc, intitulé *S'échapper de Dieppe*, met également en scène des anglophones, encore dans l'optique d'une altérité qui ne se caractérise que par son hostilité. Le héros aide une famille unilingue anglaise qui s'est égarée à s'échapper de Dieppe, territoire étranger et potentiellement hostile où domine le français.

Outre ces quelques rares personnages anglophones, la littérature tend davantage à s'interroger sur la place de l'anglais et du chiac dans l'identité acadienne. Les écrivains

> jouent avec la composante identitaire de la langue pour influer sur les représentations de cette langue, tant sur le plan du statut que sur le plan de la forme écrite. En l'employant dans leurs textes, ils lui donnent une légitimité comme langue écrite, et en l'employant en littérature, ils lui accordent une fonction prestigieuse qui a un impact sur son statut (McLaughlin, 2001 : 142).

Dans *Petites difficultés d'existence*, France Daigle met d'ailleurs explicitement en scène des débats entourant l'usage du chiac. Carmen confie à Terry que, selon elle, « c'est pas beau un enfant qui parle chiac. Un adulte c'est pas si pire » (Daigle, 2002 : 144). Dans *Pour sûr*, elle invente une nouvelle graphie afin de franciser le chiac[17], lui donnant une nouvelle légitimité littéraire, alors même que la ville qu'elle décrit est largement vidée des anglophones dont la langue se tisse à celle des Acadiens. De même, dans *Moncton Mantra*, le narrateur s'interroge sur « la problématique du français standard par opposition au français acadien » (Leblanc, 1997 : 20). La littérature s'intéresse en effet à la « définition linguistique », aux pratiques langagières du groupe, à l'usage légitime et authentique d'une langue nationale ou, du moins, collective. Chantal Richard remarque d'ailleurs que *Moncton Mantra* « est paradoxal à la fois au niveau de la forme et du contenu, mais prêche certainement une tolérance pour l'Autre, ce qui, toutefois, ne se manifeste jamais dans le roman » (Richard, 1998 : 31).

Le rapport à l'anglais donne lieu à deux débats différents : le premier concerne son usage dans le vernaculaire en Acadie, le second concerne la présence d'une société anglophone coexistant avec l'Acadie, dont l'existence explique le vernaculaire, mais qui demeure impensée, qui n'est pas conçue comme faisant partie d'une même communauté politique, d'un même territoire et d'une même histoire. À l'instar des sciences sociales, la littérature

---

[17]   Par exemple, « Ãt fÏrst y a venu comme ãgressive » (Daigle, 2011, 44).

s'intéresse beaucoup plus au premier débat qu'au second. L'anglophone tend à être représenté comme une donnée naturelle, mais problématique, un contexte inaltérable qui entrave le devenir acadien, mais qui n'est pas pensé comme un interlocuteur, comme un participant d'une communauté politique, d'un territoire et d'un destin communs. L'Autre n'a pas à être représenté, mis en scène dans son altérité et dans sa complexité.

Ce rapport au territoire, à soi et à l'Autre interroge, enfin, le rapport au politique en Acadie et dans le régime linguistique.

Le politique : fragmentation du discours acadien

La troisième caractéristique des littératures mineures est l'omniprésence du politique. Or dans le cas de la francophonie canadienne en général, et de l'Acadie en particulier, le régime linguistique façonne la manière dont elles se représentent et sont représentées politiquement.

Au lendemain de la mise en place du nouveau régime linguistique, deux éminents observateurs de la scène acadienne n'avaient que des mots durs à son endroit. Pour Michel Roy (1978 : 61), « on sacrifi[ait] volontiers des millions de dollars à la cause d'un bilinguisme [...] et nous mord[i]ons avec une merveilleuse fébrilité en Acadie [...] alors que l'enjeu réel, ce n'est pas la langue. C'est le contrôle de tous les trésors du territoire ». Quatre ans plus tard, Léon Thériault renchérissait, estimant que le régime linguistique contraignait l'Acadie à n'être qu'une entité linguistique et culturelle (Thériault, 1982 : 117). Contre le régime linguistique personnaliste, l'Acadie s'était mise à rêver d'un territoire, rêve porté par le Parti acadien et dont le point culminant a été la Convention d'orientation nationale acadienne tenue en 1979 où la vaste majorité des 1 500 délégués ont voté en faveur soit de la création d'une province acadienne, soit d'une dualité institutionnelle à l'intérieur du Nouveau-Brunswick (Gauvin et Jalbert, 1987).

L'enjeu d'une province acadienne était à la fois de mettre en place un pouvoir proprement acadien, mais aussi de créer une représentation politique du peuple acadien, de régler une fois pour toutes la question de ses frontières[18]. En donnant à la nation acadienne un territoire et des

---

[18]   En effet, le régime linguistique ne reconnaît pas l'existence de l'Acadie, comprise comme nation politique qui ferait se recouper la citoyenneté et l'acadianité. Ni la

institutions politiques à l'intérieur desquelles elle pourrait agir, on lui donnerait la possibilité de devenir visible à elle-même. En l'absence d'un territoire, l'expression politique acadienne est divisée en deux (Thériault, 1995) : d'un côté, il y a des élus acadiens dans les institutions politiques municipales, provinciales et fédérales, mais dont la capacité à formuler un discours *acadien* demeure limitée, et de l'autre, il y a un réseau associatif proprement acadien, mais dont la légitimité et les capacités d'action demeurent restreintes.

Pris entre ces deux sphères (la politique et le milieu associatif), le discours collectif acadien peine à formuler un discours global sur son devenir. Au début des années 1990, la Société des Acadiens et des Acadiennes du Nouveau-Brunswick estimait à ce titre : « [...] le temps est arrivé où nous devons bâtir notre vision de l'avenir en évitant d'être continuellement à la remorque des agendas politiques de nos gouvernements ». Il était temps pour l'Acadie de « se doter d'un projet de société plus précis » (Wade, 2018 : 231). En 2004, ce même organisme déplorait « l'absence d'une vision globale » pour le développement de l'Acadie (Wade, 2018 : 232). L'essentiel du discours national acadien s'inscrit désormais dans les balises du régime linguistique. Il vise à en garantir ou à en élargir les dispositions. Or le régime linguistique fragmente le territoire, fragmente l'individu déchiré entre l'ayant droit linguistique et le citoyen et fragmente le discours national, formulé par le milieu associatif de l'action politique dans les institutions étatiques.

On peut en ce sens parler d'une fragmentation de l'expression politique et de la temporalité acadienne dans le régime linguistique actuel. L'Acadie peine à trouver des lieux où interroger le réel et agir sur lui. Elle peine à se représenter son inscription dans le territoire et à faire de ses actions collectives des marqueurs de temps, des jalons d'une narration en cours. L'espace-temps politique des Acadiens est subsumé par des institutions, des peuples, des publics qui ne sont pas « acadiens » et qui contraignent l'acadianité à demeurer une question privée, un choix individuel.

Loi sur les langues officielles ni la *Loi reconnaissant l'égalité des deux communautés linguistiques officielles du Nouveau-Brunswick* ne nomment l'Acadie. On parle plutôt de « langue officielle » et de « communauté linguistique française ». Le régime ne reconnaît que l'existence de francophones ayant droit à des services et à la gestion de certaines institutions publiques.

Fragmentation du discours littéraire

À l'instar du discours national acadien, la littérature acadienne est marquée par la fragmentation. Fragmentation dans la représentation du territoire, dans la représentation de soi et de l'autre, nous l'avons vu, mais également fragmentation dans la forme même de l'expression. La littérature acadienne contemporaine entretient un rapport problématique avec la narration et les personnages, avec le récit et l'action. En effet, la production littéraire est étonnamment dominée par la poésie. Le catalogue de Perce-Neige, principale maison d'édition acadienne depuis la fermeture des Éditions d'Acadie, compte 97 recueils de poésie et 18 romans[19]. Semblable au régime linguistique qui ne permet pas à l'Acadie de formuler des discours cohérents et performatifs sur le réel par l'intermédiaire d'institutions politiques, qui n'accorde pas à l'Acadie une autonomie qui la ferait accéder à la majorité, numérique et légale, la poésie acadienne est caractérisée par l'adolescence, l'urgence et l'immédiateté. Alain Masson remarquait d'ailleurs à propos de la littérature acadienne que

> la sobre continuité de la prose, son exigeante netteté, ses principes d'unité sont également étrangers à notre parole qui s'embrouille dans des pronoms personnels, multiplie les répétitions et les pléonasmes, ouvre d'interminables parenthèses, oublie son sujet et néglige sa syntaxe [...] Ici, aujourd'hui, la poésie est une forme qui se dément et se débat (Masson, 1994 : 16).

Lieu de relations restreintes, territoire sans unité, l'Acadie se prêterait à la fragmentation et à l'urgence du discours, à une littérature qui « se débat ». Cette réalité des *petites* littératures a bien été analysée par François Paré, pour qui celles-ci sont dominées par la poésie et marquées par une urgence commune : « À la question : "Sur quoi l'écrivaine franco-ontarienne parlera-t-elle ?", une seule réponse s'impose : sur la menace de mort communautaire par le silence » (Paré, 1992 : 126). Cette urgence face à la possibilité de disparaître entraîne un certain rapport à la parole. Pénélope Cormier, a bien analysé ce rapport à l'écriture dans son analyse de l'école Aberdeen en poésie : « Le *besoin de dire* primant ainsi sur le *dit* ou la *mise en forme du dit*, il n'est pas étonnant de constater que la meilleure manifestation de cette nouvelle vague d'écriture sauvage est le cri, cette énergie pure, informe et sans contenu » (Cormier, 2012 : 192). Elle poursuit

---

[19] Il faut noter cependant que deux des principales romancières acadiennes, Antonine Maillet et France Daigle, ont publié leurs œuvres chez des éditeurs québécois.

en remarquant que «la tension à l'œuvre chez ces auteurs n'est pas tant entre la forme et le fond, mais entre la prise de parole et la menace du silence» (Cormier, 2012: 192). Ce silence parcourt l'acadianité, menace d'une disparition possible en l'absence de frontières capables de contenir le peuple, de lui donner forme, de le rendre visible à lui-même[20]. Étant donné la menace qui pèse et que le régime linguistique ne règle pas, l'Acadie doit simplement se dire, rappeler qu'elle existe.

On retrouve ce même rapport problématique à la cohérence du discours dans le roman. À propos de *Bloupe,* Alain Masson remarque qu'il «donne l'exemple d'une prose admirablement interrompue, qui ne s'établit jamais comme un discours, qui ne maîtrise pas le monde» (Masson, 1997: 132). Chez Babineau, en effet, «à une langue éclatée correspond une narration éclatée, vouée à la dispersion» (Boudreau, 1999: 86).

Il en va de même chez France Daigle. Raoul Boudreau remarquait en 1984 que le premier roman de Daigle, *Sans jamais parler du vent,* était caractérisé par une forme fragmentée et il liait cette fragmentation à la réalité acadienne:

> Toute la pratique textuelle de ce roman, à commencer par son titre, vise à une atténuation du discours, au laconisme, à la litote. N'est-ce pas là rejoindre une des marques les plus profondes de l'*homo acadianus,* conditionné par des années de résistance passive à dire «Ça va pas pire» pour «Ça va bien» […] [I]l me semble que France Daigle a trouvé une première solution au problème de la transposition littéraire d'une «syntaxe» acadienne (Boudreau, 1984: 16).

Alors que les premiers romans de France Daigle, caractérisés par la concision et l'espace blanc (Bourque, 2015a), se servaient du fragment afin de gommer toute référence à l'Acadie, le cycle commençant avec *Pas pire* en 1998 marque un tournant vers une écriture plus foisonnante. Daigle introduit également deux personnages, Terry et Carmen, qui deviendront indissociables de son œuvre. Or l'écriture demeure marquée par le fragment[21]. Son dernier roman, *Pour sûr,* est composé de 1 728 fragments, répartis en 140 chapitres.

---

[20] Le silence caractérise les premières œuvres de France Daigle (Bourque, 2015a).

[21] Le fragment occupe une place importante dans la littérature moderne et n'est pas réductible à une interprétation sociopolitique. Maurice Blanchot définissait en ce sens la littérature du fragment comme une littérature qui «se situe hors du tout, soit parce qu'elle suppose que le tout est déjà réalisé […], soit parce qu'à côté des formes de langage où se construit et se parle le tout, parole du savoir, du travail et du

Acadieman fait ici figure d'exception. Il s'agit de l'un des rares personnages fictifs acadiens depuis la Sagouine à s'être inscrit dans la culture populaire et à mettre en scène une agentivité acadienne. Acadieman est un héros de bande dessinée dont le mythe originel se différencie du discours acadien traditionnel, comme s'il représentait l'envers du miroir : « [L]e mythe des origines d'Acadieman révèle un certain nombre de transgressions des symboles appartenant au sacré social » en Acadie (Lamontagne, 2010 : 184). En jouant sur les archétypes de l'Acadie, en les mettant à profit tout en les détournant, *Acadieman* réussit à redonner au discours une certaine cohérence, une continuité qui fait défaut dans la littérature contemporaine et à inscrire plus pleinement l'Acadie dans le territoire et, dans une certaine mesure, dans l'action. En effet, même Acadieman entretient avec l'action un rapport ambivalent, se présentant plutôt comme « juste un "guy" qui s'appelle superhero ou qui aimerait peut-être être un superhero. Il est juste trop paresseux » (LeBlanc, 2006, cité dans Lamontagne, 2010 : 161-162). On voit chez le personnage d'Acadieman toute l'ambivalence d'une Acadie qui aimerait être une société, sans pouvoir y parvenir.

Conclusion

Dans ce texte, nous avons voulu relier les représentations littéraires de l'Acadie et son inscription politique dans le territoire par l'intermédiaire d'une analyse du régime linguistique. Il apparaît que la littérature acadienne, en tant que littérature mineure, est en effet liée aux enjeux collectifs, à la fois dans sa forme et dans ses thèmes. La mise en relation du régime linguistique et de la littérature met en évidence une cohérence dans les représentations collectives, mais rend également explicite un ensemble d'impensés, de points aveugles qui traversent les discours politiques, scientifiques et littéraires en Acadie. La judiciarisation de l'identité, des luttes et des représentations se remarque jusque dans la littérature.

---

salut, elle pressent une toute autre parole libérant la pensée d'être seulement pensée en vue de l'unité, autrement dit exigeant une discontinuité essentielle » (Blanchot, 2008 : 112). Nous pensons néanmoins qu'une lecture sociopolitique du fragment en littérature ouvre des pistes d'analyse intéressantes, notamment en lien avec la nature fragmentée du discours politique acadien.

La mise en commun des divers types de discours offre un potentiel critique riche, tant il apparaît qu'ils sont travaillés par des structures communes. C'est en prenant conscience de ces structures sous-jacentes et hégémoniques que la critique peut parvenir à décloisonner et à décoloniser l'imaginaire, à envisager de nouveaux défis, de nouveaux possibles.

Bibliographie

ALLAIN, Greg (2006). «*"Resurgo!"* La renaissance et la métropolisation de Moncton, la ville-pivot des Provinces maritimes et nouvelle capitale acadienne», *Francophonies d'Amérique*, n° 22 (automne), p. 95-119.

ALLAIN, Greg, et Guy CHIASSON (2010). «La communauté acadienne et la gouvernance du développement économique dans une micrométropole émergente : Moncton, Nouveau-Brunswick», *Francophonies d'Amérique*, n° 30 (automne), p. 17-35.

ARRIGHI, Laurence, et Annette BOUDREAU (dir.) (2016). *Langue et légitimation : la construction discursive du locuteur francophone*, Québec, Les Presses de l'Université Laval.

ARRIGHI, Laurence, et Isabelle VIOLETTE (2013). «De la préservation linguistique et nationale : la qualité de la langue de la jeunesse acadienne, un débat linguistique idéologique», *Revue de l'Université de Moncton*, vol. 44, n° 2, p. 67-101.

ASSOCIATION CANADIENNE D'ÉDUCATION DE LANGUE FRANÇAISE (ACELF) (2015). *Comprendre la construction identitaire 12 : vivre pleinement la construction identitaire à l'école de langue française*, Ottawa, Association canadienne d'éducation de langue française.

BABINEAU, Jean (1993). *Bloupe*, Moncton, Éditions Perce-Neige.

BABINEAU, Jean (2003). *Vortex*, Moncton, Éditions Perce-Neige.

BECK, Ulrich (2003). «Toward a New Critical Theory with a Cosmopolitan Intent», *Constellations*, vol. 10, n° 4, p. 453-468.

BELLIVEAU, Joel (2014). *Le « moment 68 » et la réinvention de l'Acadie*, Ottawa, Les Presses de l'Université d'Ottawa.

BLANCHOT, Maurice (2008). *Écrits politiques, 1958-1993*, Paris, Gallimard.

BOUDREAU, Annette (2001). «Langue(s), discours et identité», *Francophonies d'Amérique*, n° 12 (automne), p. 93-104.

BOUDREAU, Annette (2016). *À l'ombre de la langue légitime : l'Acadie dans la francophonie*, Paris, Garnier.

BOUDREAU, Annette, et Lise DUBOIS (dir.) (1996). *Les Acadiens et leur(s) langue(s): quand le français est minoritaire: actes du colloque*, Moncton, Éditions d'Acadie.

BOUDREAU, Annette, et Raoul BOUDREAU (2004). «La littérature comme moyen de reconquête de la parole: l'exemple de l'Acadie», *Glottopol: revue de sociolinguistique en ligne*, n° 3 (janvier), p. 166-180.

BOUDREAU, Raoul (1984). «*Sans jamais parler du vent* ou la parole retenue», *Le Papier: Journal de l'Association des professeurs de l'Université de Moncton*, vol. 1, n° 1, p. 14-15.

BOUDREAU, Raoul (1998). «L'actualité de la littérature acadienne», *Tangence. Numéro spécial. Le postmoderne acadien*, n° 58, p. 8-18.

BOUDREAU, Raoul (1999). «L'hyperbole, la litote, la folie: trois rapports à la langue dans le roman acadien», dans Lise Gauvin (dir.), *Les langues du roman: du plurilinguisme comme stratégie textuelle*, Montréal, Les Presses de l'Université de Montréal, p. 73-86.

BOUDREAU, Raoul, (2007). «La création de Moncton comme "capitale culturelle" dans l'œuvre de Gérald Leblanc», *Revue de l'Université de Moncton*, vol. 38, n° 1, p. 33-56.

BOURDIEU, Pierre (2001). *Langage et pouvoir symbolique*, Paris, Fayard.

BOURGEOIS, Daniel, et Yves BOURGEOIS (2012). « Minority Sub-State Institutional Completeness », *International Review of Sociology*, vol. 22, n° 2, p. 293-304.

BOURQUE, Denis (2015a). «France Daigle», *L'Encyclopédie canadienne*, [en ligne], [https://www.thecanadianencyclopedia.ca/fr/article/france-daigle] (3 juin 2018).

BOURQUE, Denis (2015b). «Le nationalisme acadien et l'émergence de la littérature aca-dienne», *Revue d'études sur le Nouveau-Brunswick*, n° 6, p. 48-67.

BRETON, Raymond (1964). « Institutional Completeness of Ethnic Communities and Personal Relations of Immigrants », *American Journal of Sociology*, n° 70, p. 193-205.

BRETON, Raymond (1994). «Modalités d'appartenance aux francophonies minoritaires: essai de typologie», *Sociologie et sociétés*, vol. 26, n° 1, p. 59-69.

BRUN DEL RE, Ariane (2016). «France Daigle, héritière de Gérald Leblanc: de *Moncton Mantra* à *Petites difficultés d'existence*», *Revue de l'Université de Moncton*, vol. 47, n° 2, p. 47-71.

CANADA. COMMISSARIAT AUX LANGUES OFFICIELLES (s. d.). *Foire aux questions*, [en ligne], [http://www.officiallanguages.gc.ca/fr/ressources/foire-aux-questions] (16 juin 2018).

CAO, Huhua, Omer CHOUINARD, et Olivier DEHOORNE (2005). «De la périphérie vers le centre: l'évolution de l'espace francophone du Nouveau-Brunswick au Canada», *Annales de géographie*, n° 642, p. 115-140.

CARDINAL, Linda (2001). «Droits, langue et identité: la politique de la reconnaissance à l'épreuve de la judiciarisation», dans Jocelyn Maclure et Alain-G. Gagnon (dir.), *Repères en mutation: identité et citoyenneté dans le Québec contemporain*, Montréal, Québec Amérique, p. 269-294.

CARDINAL, Linda, et Eloisa G. HIDALGO (2012). «L'autonomie des minorités franco-phones hors Québec au regard du débat sur les minorités nationales et les minorités ethniques», *Minorités linguistiques et société*, n° 1, p. 51-65.

CARDINAL, Linda, et Éric FORGUES (dir.) (2015). *Gouvernance communautaire et innovations au sein de la francophonie néobrunswickoise et ontarienne*, Québec, Les Presses de l'Université Laval.

CASANOVA, Pascale (1999). *La République mondiale des Lettres*, Paris, Seuil.

CASTONGUAY, Charles (1994). *L'assimilation linguistique : mesure et évolution, 1971-1986*, Sainte-Foy, Publications du Québec.

CHIASSON, Herménégilde (1998). « Traversées », *Tangence*, n° 58 (octobre), p. 77-92.

CHOUINARD, Stéphanie (2014). « The Rise of Non-Territorial Autonomy in Canada: Towards a Doctrine of Institutional Completeness in the Domain of Minority Language Rights », *Ethnopolitics*, vol. 13, n° 2, p. 141-158.

CHOUINARD, Stéphanie (2016). *La question de l'autonomie des francophones hors Québec : trois décennies d'activisme judiciaire en matière de droits linguistiques au Canada*, thèse de doctorat (science politique), Ottawa, Université d'Ottawa.

COMEAU, Germaine (2008). *Laville*, Moncton, Éditions Perce-Neige.

CORMIER, Pénélope (2012). « Les jeunes poètes acadiens à l'école Aberdeen : portrait institutionnel et littéraire », dans Jacques Paquin (dir.), *Nouveaux territoires de la poésie francophone au Canada 1970-2000*, Ottawa, Les Presses de l'Université d'Ottawa, p. 179-204.

DAIGLE, France (2002). *Petites difficultés d'existence*, Montréal, Éditions du Boréal.

DAIGLE, France (2011). *Pour sûr*, Montréal, Éditions du Boréal.

DE FINNEY, James (1991). « Le journal *L'Évangéline* et l'émergence de l'institution littéraire acadienne », *Francophonies d'Amérique*, n° 1, p. 43-55.

DELEUZE, Gilles, et Félix GUATTARI (1975). *Kafka : pour une littérature mineure*, Paris, Éditions de Minuit.

DENIS, Wilfrid (2016). « Le choc des paradigmes dans la jurisprudence de l'article 23 de la *Charte canadienne des droits et libertés* : le cas du Yukon », *Revue internationale d'études canadiennes*, n° 54, p. 51-82.

DOYON-GOSSELIN, Benoit, et Jean MORENCY (2004). « Le monde de Moncton, Moncton ville du monde : l'inscription de la ville dans les romans récents de France Daigle », *Voix et Images*, vol. 29, n° 3, p. 69-83.

FORGUES, Éric (2010). « La gouvernance des communautés francophones en situation minoritaire et le partenariat avec l'État », *Politique et Sociétés*, vol. 29, n° 1, p. 71-90.

FOUCHER, Pierre (2008a). « Le droit et la langue française au Canada : évolution et perspectives », *Francophonies d'Amérique*, n° 26 (automne), p. 63-78.

FOUCHER, Pierre (2008b). « Langues, lois et droits. Pour qui ? Pourquoi ? L'action de l'État et des acteurs sociaux dans le domaine juridique en matière de langues officielles au Canada », dans Marcel Martel et Martin Pâquet (dir.), *Légiférer en matière linguistique*, Québec, Les Presses de l'Université Laval, p. 389-422.

GAUVIN, Monique, et Lizette JALBERT (1987). « Percées et déboires du Parti acadien », *Revue parlementaire acadienne*, vol. 10, n° 3, p. 13-17.

Gérin-Lajoie, Diane (2001). « Identité bilingue et jeunes en milieu francophone minoritaire : un phénomène complexe », *Francophonies d'Amérique*, n° 12 (automne), p. 61-69.

Gilbert, Anne (dir.) (2010). *Territoires francophones : études géographiques sur la vitalité des communautés francophones du Canada*, Québec, Éditions du Septentrion.

Gilbert, Anne, *et al.* (dir.) (2017). *Ottawa : lieu de vie français*, Ottawa, Les Presses de l'Université d'Ottawa.

Hautecoeur, Jean-Paul (1975). *L'Acadie du discours : pour une sociologie de la culture acadienne*, Québec, Les Presses de l'Université Laval.

Heller, Monica (2007). « "Langue", "communauté" et "identité" : le discours expert et la question du français au Canada », *Anthropologie et Sociétés*, vol. 31, n° 1, p. 39-54.

Heller, Monica (2011). *Paths to Post-Nationalism : A Critical Ethnography of Language and Identity*, New York, Oxford University Press.

Lamontagne, Denise (2010). « Voir et revoir le mythe des origines de deux héros acadiens : monseigneur Marcel-François Richard et Acadieman », dans Monika Boehringer, Kirsty Bell et Hans Runte (dir.), *Entre textes et images : constructions identitaires en Acadie et au Québec*, Moncton, Institut d'études acadiennes, p. 161-187.

Landry, Michelle (2015). *L'Acadie politique : histoire sociopolitique de l'Acadie du Nouveau-Brunswick*, Québec, Les Presses de l'Université Laval.

Landry, Rodrigue, Réal Allard et Kenneth Deveau (2013). « Bilinguisme et métissage identitaire : vers un modèle conceptuel », *Minorités linguistiques et société*, n° 3, p. 56-79.

Leblanc, Gérald (1988). *L'extrême frontière (poèmes 1972-1988)*, Moncton, Éditions d'Acadie.

Leblanc, Gérald (1995). *Éloge du chiac*, Moncton, Éditions Perce-Neige.

Leblanc, Gérald (1997). *Moncton Mantra*, Moncton, Éditions Perce-Neige.

Leclerc, Catherine (2004). *Des langues en partage ? Cohabitation du français et de l'anglais en littérature contemporaine*, thèse de doctorat (littérature), Montréal, Université Concordia.

Leclerc, Catherine (2006). « Ville hybride ou ville divisée : à propos du chiac et d'une ambivalence productive », *Francophonies d'Amérique*, n° 22 (automne), p. 153-165.

Leclerc, Catherine (2007). « "Écriture sauvage", tradition, et renouvellement en poésie acadienne », *Quebec Studies*, n° 43, p. 43-66.

Léger, Luc (2012). *Les limites et les conséquences de l'aménagement linguistique au Nouveau-Brunswick : le cas du secteur privé*, mémoire de maîtrise (science politique), Québec, Université Laval.

Lord, Marie-Linda (2004). « La réalité mitoyenne du Moncton postmoderne : bilinguisme et diversité culturelle », *Nos diverses cités*, n° 1, p. 93-96.

Lord, Marie-Linda (2006). «Identité et urbanité dans la littérature acadienne», dans Madeleine Frédérique et Serge Jaumain (dir.), *Regards croisés sur l'histoire et la littérature acadiennes*, Bruxelles, Peter Lang, p. 67-86.

Magord, André, et Chedly Belkhodja (2005). «L'Acadie à l'heure de la diaspora?», *Francophonies d'Amérique*, n° 19 (printemps), p. 45-54.

Maillet, Marguerite (1983). *Histoire de la littérature acadienne: de rêve en rêve*, Moncton, Éditions d'Acadie.

Masson, Alain (1994). *Lectures acadiennes: articles et comptes rendus sur la littérature acadienne depuis 1972*, Moncton, Éditions Perce-Neige.

Masson, Alain (1997). «Une idée de la littérature acadienne», *Revue de l'Université de Moncton*, n° 30, p. 125-132.

McLaughlin, Mireille (2001). «Les représentations linguistiques des jeunes écrivains du sud-est du Nouveau-Brunswick et leur impact sur la littérature acadienne», *Francophonies d'Amérique*, n° 12 (automne), p. 133-143.

McLaughlin, Mireille (2010). *L'Acadie post-nationale: Producing Franco-Canadian Identity in the Globalized Economy,* thèse de doctorat (sociologie), Toronto, Université de Toronto.

McLaughlin, Mireille (2013). «What Makes Art Acadian?», dans Sari Pietikäinen et Helen Kelly-Holmes (dir.), *Multilingualism and the Periphery*, New York, Oxford University Press.

McRae, Kenneth (1975). « The Principle of Territoriality and the Principle of Personality in Multilingual States », *International Journal of the Sociology of Language*, n° 4, p. 33-54.

Morency, Jean (2007). «Gérald Leblanc, écrivain du village planétaire», *Revue de l'Université de Moncton*, vol. 38, n° 1, p. 93-105.

Normand, Martin (2012). «L'autonomie eu égard à la mise en œuvre de la partie VII de la *Loi sur les langues officielles*», *Minorités linguistiques et société*, n° 1, p. 229-247.

Normand, Martin (2015). *Gestion scolaire et habilitation des communautés minoritaires de langue officielle au Canada*, Ottawa, Programme d'appui aux droits linguistiques.

Paratte, Henri-Dominique (1986). «Fragments d'une réalité éclatée: prolégomènes à une socio-esthétique vécue de la littérature acadienne à la fin de 1986», *Études en littérature canadienne*, vol. 11, n° 2, p. 40-60.

Paré, François (1997). «La chatte et la toupie: écriture féminine et communauté en Acadie», *Francophonies d'Amérique*, n° 7, p. 115-126.

Paré, François (1998). «*Acadie City* ou l'invention de la ville», *Tangence*, n° 58, p. 19-34.

Paré, François (2001). *Les littératures de l'exiguïté*, Ottawa, Le Nordir.

Poissant, Guylaine (2001). «Activités quotidiennes dans un quartier populaire francophone», *Francophonies d'Amérique*, n° 11, p. 135-150.

RICHARD, Chantal (1998). «La problématique de la langue dans la forme et le contenu de deux romans plurilingues acadiens: *Bloupe* de Jean Babineau et *Moncton Mantra* de Gérald Leblanc», *Études en littérature canadienne*, vol. 23, n° 2, p. 19-35.

ROY, Michel (1978). *L'Acadie perdue*, Montréal, Québec Amérique.

THÉRIAULT, Joseph Yvon (1994). «Entre la nation et l'ethnie: sociologie, société et communautés minoritaires francophones», *Sociologie et sociétés*, vol. 26, n° 1, p. 15-32.

THÉRIAULT, Joseph Yvon (1995). *L'identité à l'épreuve de la modernité: écrits politiques sur l'Acadie et les francophonies canadiennes minoritaires*, Moncton, Éditions d'Acadie.

THÉRIAULT, Joseph Yvon (2003). «L'identité et le droit du point de vue de la sociologie politique», *Revue de la common law en français*, vol. 5, n° 1, p. 43-54.

THÉRIAULT, Joseph Yvon (2007). *Faire société: société civile et espaces francophones*, Sudbury, Éditions Prise de parole.

THÉRIAULT, Joseph Yvon (2014). «Complétude institutionnelle: du concept à l'action», *Mémoire(s), identité(s), marginalité(s) dans le monde occidental contemporain*, n° 11.

THÉRIAULT, Joseph Yvon, Anne GILBERT et Linda CARDINAL (dir.) (2008). *L'espace francophone en milieu minoritaire au Canada: nouveaux enjeux, nouvelles mobilisations*, Montréal, Éditions Fides.

THÉRIAULT, Léon (1982). *La question du pouvoir en Acadie*, Moncton, Éditions d'Acadie.

TRAISNEL, Christophe (2012). « Protéger et pacifier: la politique officielle de bilinguisme canadien face aux risques de transferts linguistiques et de contestation communautaire », *International Journal of Canadian Studies*, n° 45-46, p. 69-89.

VAN PARIJS, Philippe (2010). « Linguistic Justice and the Territorial Imperative », *Critical Review of International Social and Political Philosophy*, vol. 13, n° 1, p. 181-202.

VINCENT, Guy (2003). «Le paradoxe du français à Moncton: fragilité et force économique? Le cas du quartier Sunny Brae», *Francophonies d'Amérique*, n° 16, p. 133-148.

VIOLETTE, Isabelle (2010). *Immigration francophone en Acadie du Nouveau-Brunswick: langues et identités: une approche sociolinguistique des parcours d'immigrants francophones à Moncton*, thèse de doctorat (linguistique), Moncton et Tours, Université de Moncton et Université de Tours.

WADE, Mathieu (2015). «Territoire, langues et sphères publiques: enjeux identitaires et défis structurels de la cohabitation linguistique», *Minorités linguistiques et société*, n° 5, p. 143-171.

WADE, Mathieu (2018). «De peuple à minorité de langue officielle: la SANB et la quête d'un développement global, 1972-2016», *Acadiensis*, vol. 47, n° 1, p. 224-233.

Effet des facteurs sociaux sur la réalisation des pics mélodiques en français spontané en milieu minoritaire

Svetlana Kaminskaïa
Université de Waterloo

Introduction

Problématique et objectifs

P armi les aspects intonatifs du français ontarien qui sont insuffisamment étudiés apparaît l'alignement tonal. L'alignement tonal renvoie à la synchronisation (ou le *timing*) des pics et des creux mélodiques (valeurs maximales et minimales de la fréquence fondamentale, F0max et F0min) avec les repères segmentaux ou prosodiques (voyelles ou syllabes, par exemple). L'alignement peut avoir une valeur linguistique, en montrant des propriétés différentes entre les langues, en distinguant les types de phrases et les éléments discursifs, et il peut avoir une valeur extralinguistique en véhiculant de l'information sur les origines des locuteurs ou leurs caractéristiques sociales. Nous nous penchons ici sur l'alignement des pics mélodiques en français ontarien en contexte minoritaire pour examiner l'effet des facteurs sociaux d'âge et de sexe et pour voir si, chez tous les groupes, la zone de réalisation des pics reste étendue, comme dans d'autres dialectes du français, ou s'il y en a un qui présente plus de stabilité de réalisation des pics mélodiques, comme en anglais. Les réponses à ces questions nous permettront tout d'abord d'enrichir la description de la prosodie du français ontarien. En outre, les résultats de cette analyse nous fourniront des informations importantes pour juger de la variation sociolinguistique et de l'effet du contact avec l'anglais en français minoritaire.

Dans ce qui suit, nous présentons d'abord un bref aperçu des études portant sur l'alignement tonal, pour parler ensuite de la stabilité de la réalisation des cibles tonales dans des langues différentes et des problèmes des choix méthodologiques, ce qui nous amènera aux questions, aux hypothèses et à la motivation des choix méthodologiques.

Études consacrées à l'alignement

Depuis Gösta Bruce (1977), plusieurs analyses de l'intonation prêtent une attention particulière à l'alignement des tons qui détermine le développement de la courbe intonative et contribue à la variation linguistique. De nombreuses analyses indiquent que le moment de la réalisation des valeurs maximales et minimales de la fréquence fondamentale est susceptible de véhiculer des informations importantes d'ordre pragmatique, discursif, régional ou social. Par exemple, Janet Pierrehumbert et Shirley Steele (1989) ont montré que l'alignement plus tardif du pic mélodique (du ton haut, soit H) permet de distinguer l'incertitude de la certitude en anglais américain. L'analyse de Mariapaola D'Imperio (2000) a établi qu'en italien napolitain, le pic de la fréquence fondamentale (F0) dans la question totale est réalisé plus tard que dans le focus étroit. Selon D. Robert Ladd *et al.* (2009), les sommets mélodiques se réalisent plus tôt en anglais standard qu'en écossais standard, alors qu'en allemand standard, d'après Michaela Atterer et D. Robert Ladd (2004), le pic intonatif associé à un accent non final de l'énoncé est aligné plus tard qu'en allemand du Nord. Amalia Arvaniti et Gina Gårding (2007) arrivent à une conclusion similaire pour l'anglais de la Californie en le comparant à l'anglais du Minnesota.

En français standard, l'alignement des tons a fait l'objet d'études menées par Pauline Welby (2006) et par Pauline Welby et Hélène Loevenbruck (2006); dans des dialectes régionaux, le *timing* des tons a été étudié par D'Imperio *et al.* (2006), Jessica Miller (2008) et nous-même (Kaminskaïa, 2015a, 2015b, 2018), entre autres. Ainsi, D'Imperio *et al.* (2006) constatent un alignement des pics mélodiques plus tardif en français méridional qu'en français standard. Miller (2008), qui a travaillé sur l'alignement des cibles tonales non seulement hautes (H) mais aussi basses (L, de l'anglais «*low*»), conclut que les tons en français suisse de Vaud sont réalisés plus loin des frontières gauche et droite du groupe accentuel et sont donc moins périphériques qu'en français standard. Notre analyse des textes lus n'a pas fait ressortir de différence d'alignement du pic final du groupe accentuel en français québécois par rapport à la variété française de Vendée, mais elle a révélé des différences entre les hommes et les femmes, celles-ci réalisant le H significativement plus tard que ceux-là dans les deux sous-corpus (Kaminskaïa, 2015a). Dans le même style de lecture, en français minoritaire de l'Ontario, le *timing* du pic associé à l'accent primaire (final) du groupe rythmique a été plus tardif (Kaminskaïa, 2015b), et le pic associé à l'accent secondaire (initial) a été réalisé plus tôt (Kaminskaïa, 2018) que dans les corpus vendéen et québécois. La réalisation des sommets mélodiques en français en contact est donc plus périphérique. Cela contribue à une variation intonative qui reste toujours à explorer et à comprendre. Finalement, nous avons aussi observé en français minoritaire qu'en plus du facteur de sexe, le facteur d'âge des locuteurs peut avoir une influence sur la réalisation du H. Ainsi, les jeunes locutrices réalisent les pics mélodiques plus loin du début de la voyelle et plus proche de sa fin que ne le font les jeunes locuteurs ; à un âge plus avancé, ces différences entre les groupes deviennent non significatives (Kaminskaïa, 2015b). Puisque ce sont surtout les jeunes locuteurs et les femmes qui amorcent les changements linguistiques (Labov, 1990), cela nous laisse penser qu'il y a un changement en cours. En entreprenant la présente étude, nous nous demandons donc si l'analyse de la parole spontanée confirmerait les tendances observées dans le style de lecture.

Stabilité de la réalisation des tons

Dans les langues telles que le grec standard, l'anglais, le néerlandais et le mandarin, l'alignement des tons présente une grande stabilité par rapport aux repères (voyelles ou consonnes), ce qui a entraîné la proposition d'ancrage stable des tons au contenu segmental (« *segmental anchoring* », Ladd *et al.* (1999), Atterer et Ladd [2004]). Cependant, cette hypothèse se voit régulièrement réfutée dans le cas de langues différentes. Par exemple, Pilar Prieto et Francisco Torreira (2007) confirment qu'il y a une synchronisation précise des creux mélodiques L avec le début de la syllabe accentuée, mais montrent que le *timing* du H est très variable et qu'il dépend de la structure de la syllabe accentuée en espagnol européen. De même, en grec chypriote, la réalisation du pic de la montée non finale de l'énoncé peut se passer entre le début fixe de cette montée (L) et le ton qui suit (Themistocleous, 2016). Cela distingue ce dialecte grec du grec standard, où les deux tons L et H de la montée intonative sont régulièrement alignés avec les repères segmentaux (p. 457). L'analyse de Themistocleous soutient ainsi l'autre hypothèse sur la régularité de la réalisation des tons, celle d'ancrage flexible (« *segmental anchorage* ») proposée par Welby et Loevenbruck (2006). Selon cette hypothèse, un ton qui se réalise dans une certaine zone plutôt qu'autour d'un certain point est « *anchoraged* » (et non pas « *anchored* »). Les auteures ont proposé ce concept à partir de l'analyse du français où le ton haut (H) de la montée finale du groupe accentuel apparaît dans une zone qui commence à 20 millisecondes avant la fin de la voyelle et s'étend jusqu'à la fin du groupe accentuel (p. 117). Le français ontarien en contact intense avec l'anglais montrera-t-il des tendances soutenant l'hypothèse de l'«*anchorage*» ou des tendances suggérant une stabilisation de la réalisation du H, sous l'influence de la langue anglaise ?

Choix méthodologiques

Les analyses portant sur l'alignement tonal se caractérisent par une variabilité méthodologique. Par exemple, la réalisation des tons est analysée avec des frontières de repères différents – segmentaux, prosodiques, lexicaux – et à l'aide soit des mesures des valeurs maximales et minimales de la fréquence fondamentale (F0max et F0min) (Ladd *et al.*, 2009 ; Prieto et Torreira, 2007, entre autres), soit des points tournants de F0 («*elbows*») (D'Imperio, 2000 ; Welby, 2006, entre autres). Toutefois, le plus souvent, ces analyses sont menées à partir de corpus soigneusement construits et prononcés avec un débit contrôlé, ce qui permet aux chercheurs de tester leurs hypothèses en mesurant la distance entre un repère et une cible tonale en millisecondes (msec) plutôt que proportionnellement à une unité quelconque (Silverman et Pierrehumbert, 1990). Quoique cette dernière approche permette de normaliser la variabilité interindividuelle et intra-individuelle causée par des changements du débit de l'articulation, elle n'est pourtant pas populaire auprès des chercheurs pour les raisons suivantes : le besoin de prendre en considération les deux frontières d'un repère pour calculer en pourcentage la distance à laquelle apparaît un ton, l'incertitude par rapport au choix de ce repère et l'augmentation de la variance dans la valeur d'un intervalle avec l'augmentation de la taille de ce repère (Atterer et Ladd, 2004 : 194).

Néanmoins, les mêmes problèmes de choix méthodologiques existent avec les mesures en millisecondes car, parmi les repères, on trouve les frontières droite et gauche d'unités différentes (des voyelles jusqu'aux groupes accentuels). Il paraît alors que, lorsqu'on passe de la comparaison des paires minimales soigneusement créées à l'analyse de la lecture d'un texte, et surtout de la parole spontanée, une normalisation peut fournir des résultats plus cohérents pour les styles caractérisés par une prosodie plus mobile et par des changements de débit et où le contenu segmental est variable. Est-ce que dans notre analyse de la parole spontanée les résultats basés sur les mesures proportionnelles indiqueront des tendances plus prononcées et plus stables que ceux basés sur les mesures de temps?

Questions et hypothèses

Dans le contexte présenté, nous nous posons donc une série de questions qui renvoient au type de données examinées, aux méthodes d'analyse, aux tendances entre les groupes sociaux et à l'influence de l'anglais.

En nous interrogeant sur le choix des mesures d'alignement tonal, nous proposons une analyse qui utilise les deux méthodes et supposons que les mesures proportionnelles indiqueront des tendances plus stables et cohérentes que les mesures en millisecondes. En cherchant à savoir si, dans le style familier, les facteurs sociaux ont le même effet sur le *timing* du ton H final du groupe accentuel que celui que nous avons observé dans le style de lecture, nous incluons dans l'analyse les locuteurs qui représentent les deux sexes et deux groupes d'âge et prévoyons que les tendances seront confirmées. En nous demandant s'il existe un effet de l'anglais sur l'alignement des tons H en français ontarien en contact, nous supposons que, s'il a lieu, il se manifestera par une réalisation plus compacte des pics mélodiques, en particulier chez les plus jeunes, qui sont plus sujets à subir l'influence de la langue dominante (Poiré, 2009). En suivant les résultats de notre étude antérieure (Kaminskaïa, 2015b), nous supposons que le moment de la réalisation du H serait plus tardif chez ce groupe de locuteurs et que les femmes montreront les mêmes tendances. Si, en plus de ces tendances, une interaction entre les variables d'âge et de sexe ressort au cours de l'analyse, cela pourra indiquer qu'il y a un changement linguistique en cours (Labov, 1990).

L'analyse proposée est, à notre connaissance, la première étude explorant l'alignement tonal en français régional spontané dans une perspective sociolinguistique et méthodologique. Elle cherche à contribuer à la description phonétique et sociolinguistique du français canadien et, notamment, du français en contact avec l'anglais, ainsi qu'à une discussion sur l'usage de la normalisation lors de l'analyse de l'alignement en parole spontanée.

Méthodologie

Pour répondre aux questions posées et tester nos hypothèses, nous avons soumis à l'analyse les données recueillies par François Poiré et Stephanie Kelly (2003), dans le cadre du projet «Phonologie du français contemporain» (Durand, Laks et Lyche, 2009), auprès de locuteurs franco-ontariens de la région de Windsor. Les entrevues libres de quatre hommes et de quatre femmes, âgés entre 33 et 74 ans, ont servi à cette analyse. Nous avons divisé les participants en deux groupes : le premier comprenait quatre participants ayant moins de 45 ans et le second groupe, quatre participants ayant plus de 45 ans (tableau 1). Nous avons choisi les locuteurs de façon à avoir le plus d'écart entre les groupes d'âge et le moins d'écart à l'intérieur des groupes d'âge. Étant donné la taille réduite des groupes dans lesquels sont répartis les participants, les résultats de notre étude sont préliminaires.

Tableau 1

Distribution des locuteurs selon les groupes

	Femmes (âge)		Hommes (âge)		Total
< 45 ans	F1 (42)	F2 (43)	M1 (33)	M2 (41)	4
	2		2		
> 45 ans	F3 (65)	F4 (74)	M3 (66)	M4 (74)	4
	2		2		
Total	4		4		

L'analyse acoustique des enregistrements a été effectuée dans le programme Praat (Boersma et Weenink, 2015). Le matériel sonore y a été d'abord transcrit et segmenté avec l'aide du logiciel *EasyAlign* (Goldman, 2011). Cette segmentation semi-automatique a été ensuite vérifiée et corrigée manuellement au besoin. Les groupes accentuels ont été déterminés en fonction des principes audio-instrumentaux et morphosyntaxiques spécifiés par Jun et Fougeron (2002). Les frontières gauche et droite des voyelles accentuées (V1 et V2 respectivement) et les pics mélodiques

(F0max) des montées finales des groupes rythmiques ont été définis et étiquetés dans Praat. Puisque la qualité des consonnes à la fin de la syllabe peut affecter l'alignement des tons (Welby et Loevenbruck, 2006), nous avons retenu pour l'analyse les syllabes ouvertes et les syllabes se terminant par une consonne obstruante (occlusive ou fricative) et nous avons exclu les cas où les voyelles étaient suivies par une semi-voyelle ou par une consonne sonante ([m, n, l] ou [r] apical) à la fin de la syllabe.

Puis, à partir des mesures de temps concernant la F0max et les frontières vocaliques, nous avons calculé les intervalles mesurant le *timing* du H relativement au début (H-V1) et à la fin de la voyelle (V2-H), d'abord en millisecondes et, ensuite, proportionnellement à la durée de cette voyelle (V2-V1). Tout en reconnaissant que la hiérarchie prosodique peut affecter l'alignement des tons, nous ne l'avons pas prise en considération ici, car dans le style choisi, il y a un chevauchement des unités prosodiques des niveaux différents à cause de la fréquence des pauses, des faux départs et des troncations. En revanche, l'effet possible des tons à gauche a été contrôlé par l'inclusion, dans l'analyse uniquement, des H précédés d'un creux mélodique (L).

Au cours de l'analyse, nous avons dû écarter une portion considérable des données à cause des rires, des chevauchements, des reprises, des troncations et de la qualité du signal. Les cas où les émotions ou le contexte pragmatique affectaient la production orale ont aussi été écartés. À ces lacunes s'ajoute une participation variable des locuteurs, ce qui a fourni des nombres différents de tons hauts et, par conséquent, d'intervalles. Alors, pour évaluer l'effet des variables sociales sur l'alignement du pic dans les données non équilibrées, nous avons exécuté des tests non paramétriques Mann-Whitney. Selon ces tests, les différences entre les groupes sont significatives si $p \leq 0{,}050$. Pour voir s'il y a une interaction entre les variables d'âge et de sexe, c'est-à-dire pour juger s'il y a un groupe (par exemple, jeunes femmes ou hommes plus âgés) qui se comporte différemment des autres, nous avons aussi mené des tests de variance ANOVA 2x2 (deux groupes à deux niveaux chacun : âge [jeunes et âgés] et sexe [hommes et femmes]). Les tests ANOVA ont confirmé les résultats des tests Mann-Whitney, mais n'ont révélé aucune interaction entre les variables. Pour cela, nous ne présentons que les résultats des tests non paramétriques pour chacune des deux variables sociales séparément.

Résultats

En respectant les contraintes spécifiées plus haut, nous avons noté 565 tons H associés à l'accent final du groupe accentuel, qui ont été accompagnés par une courbe visible et non perturbée, et nous avons remarqué deux formes de courbe : plate et ascendante (figure 1).

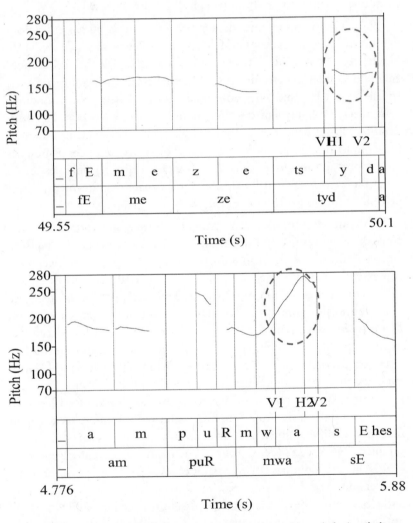

FIGURE 1 Un plateau (graphique du haut) et une montée (graphique du bas) mélodiques sur la syllabe portant l'accent primaire (final) du groupe accentuel.

Même si la forme de la courbe de continuation (courbe montante au milieu de l'énoncé) ne contribue pas au changement de sens en français, on peut se demander si la différence entre le plateau et la montée est due à la hiérarchie prosodique (par exemple, groupe accentuel ou groupe intonatif), s'il existe deux spécifications tonales pour un contour intonatif au milieu de l'énoncé : H (pour un plateau) et LH (pour une montée), ou bien si la différence entre les deux est uniquement causée par l'alignement. Une analyse d'un corpus ciblant spécifiquement ces questions fournirait plus d'information.

Pour les objectifs de cette étude, nous avons choisi les courbes ascendantes seulement, avec un sommet visible, et analysé 388 réalisations de tons H. Pour chaque locuteur, nous avons relevé de 26 à 72 tons H (tableau 2). Selon les groupes sociaux, les nombres de tons H se sont répartis de la façon suivante : 154 (plus jeunes), 234 (plus âgés), 211 (femmes) et 177 (hommes).

Tableau 2

Nombre de tons H par locuteur

		Femmes		Hommes		Total
< 45 ans	Participant	F1	F2	M1	M2	154
	Nombre de tons	43	45	40	26	
	Total	88		66		
> 45 ans	Participant	F3	F4	M3	M4	234
	Nombre de tons	72	51	55	56	
	Total	123		111		
	Total	211		177		

L'alignement du H et les facteurs sociaux

Dans le tableau 3, nous présentons, pour chaque groupe social, les distances de la réalisation du H (en msec et en %) à partir des frontières gauche et droite des voyelles. Les résultats des tests statistiques y apparaissent également, avec les valeurs significatives en surbrillance.

Selon le tableau 3, par rapport au début de la voyelle, les locuteurs âgés réalisent le ton haut 18 msec plus tôt que les jeunes locuteurs (102 msec contre 120 msec), ce qui représente une différence significative (p = 0,005). En pourcentage, la tendance est la même : les jeunes réalisent le ton H plus tard que les participants âgés de plus de 45 ans (76,3 % par rapport à 68,6 %). Cette différence de 7,7 % s'est aussi révélée significative (p < 0,001).

Tableau 3

Valeurs des intervalles par groupe social (msec et %)

		H-V1	p ≤	V2-H	p ≤
Jeunes	msec (écart-type)	120,0 (55,3)	0,005	35,0 (23,7)	0,001
Âgés		102,0 (44,6)		46,0 (28,2)	
Jeunes	% (écart-type)	76,3 (15,9)	0,001	23,7 (15,9)	0,001
Âgés		68,6 (14,7)		31,4 (14,7)	
Femmes	msec (écart-type)	108,0 (50,3)	0,495	35,0 (23,3)	0,001
Hommes		111,0 (49,3)		49,0 (29,4)	
Femmes	% (écart-type)	74,0 (15,6)	0,001	26,0 (15,6)	0,001
Hommes		68,9 (15,2)		31,1 (15,2)	

En ce qui concerne la variable de sexe, la différence de 3 msec entre les hommes et les femmes n'est pas significative (p = 0,495), alors que la différence de 5,1 % entre les deux groupes a paru statistiquement importante (p < 0,001). Il faut remarquer que les résultats en millisecondes et en pourcentage indiquent des tendances contraires pour les hommes et pour les femmes : en millisecondes, ce sont les hommes qui produisent le H plus tard (111 msec) que les femmes (108 msec), alors qu'en mesures proportionnelles, ce sont les femmes qui le font plus tard que les hommes (74 % contre 68,9 %).

Pour ce qui est de la réalisation du H par rapport à la fin de la voyelle, le pic mélodique y est plus proche chez les participants plus jeunes

(35 msec, ce qui correspond à 23,7 % par rapport à la durée totale de la voyelle) que chez les participants plus âgés (46 msec, ce qui correspond à 31,4 %). Pour les deux types de mesures, ces différences sont significatives (p < 0,001). Quant aux groupes de sexe, le ton H est plus éloigné de la frontière droite de la voyelle chez les hommes (intervalle de 49 msec, ou de 31,1 %) que chez les femmes (35 msec, ou 26 %). Cette fois, les différences indiquées par les deux types de mesures ne se contredisent pas et sont significatives (p < 0,001).

Les résultats montrent que, dans notre corpus, les locuteurs plus jeunes et les femmes réalisent le sommet mélodique environ aux trois quarts de la durée de la voyelle à partir du début (74,0 % – 76,3 %), alors que les locuteurs plus âgés et les hommes le réalisent à un peu plus des deux tiers (68,6 % – 68,9 %). Les mesures normalisées permettent de reconnaître les similarités et les différences entre les groupes, mieux que les valeurs de temps.

La zone de réalisation du H selon les variables d'âge et de sexe

Comme dans les études antérieures portant sur l'alignement du H en français, nos résultats montrent aussi que le ton H tend vers la frontière droite de la voyelle accentuée (cf. avec Welby, 2006). Alors, pour juger de la stabilité de l'alignement du H, nous discutons dans cette section seulement des résultats pour l'intervalle V2-H. Dans le tableau 3, plus haut, les valeurs de cet intervalle dépassent les 15 à 20 msec rapportées par Amalia Arvaniti, D. Robert Ladd et Ineke Mennen (1998), et par Atterer et Ladd (2004), qui ont permis d'émettre l'hypothèse sur l'ancrage stable («*anchoring*») d'un ton par rapport à un repère segmental. De plus, elles dépassent aussi les 20 msec avant la fin de la voyelle, spécifiées par Welby et Loevenbruck (2006) comme zone d'ancrage flexible («*anchorage*») pour les tons hauts associés à l'accent primaire.

Cependant, à la différence de ces analyses-là, la nôtre utilise des données spontanées, où le débit de la parole ne peut pas être contrôlé et où le contenu segmental est changeant. Qui plus est, le débit des locuteurs franco-ontariens dans ce corpus est plus lent que celui des francophones des milieux majoritaires (Kaminskaïa, 2015c). Par conséquent, il n'est pas surprenant que les durées des voyelles et les intervalles soient plus grands dans le corpus ontarien. Nos valeurs sont donc difficilement comparables à celles provenant de la parole de laboratoire obtenues dans les études antérieures. Alors, pour juger de la stabilité de la réalisation du H, nous allons examiner la dispersion des intervalles normalisés.

Les figures 2 et 3 présentent la dispersion des valeurs des intervalles V2-H pour les deux groupes d'âge (âgés et jeunes). Dans ces figures, de même que dans les figures 4 et 5, la fin de la voyelle est à gauche et elle est définie à l'aide de la ligne verticale à 0,000 s.

On remarque que la distribution des valeurs des intervalles est décalée vers la fin de la voyelle. Chez les participants jeunes, selon le 3ᵉ quartile (ligne verticale qui marque la fin de la boîte bleue, à droite), la majorité des pics sont réalisés environ 45 msec (figure 2) ou 30 % (figure 3) avant la fin de la voyelle. De plus, dans la moitié des cas (ce qui correspond aux limites des boîtes), ce groupe produit le H dans la fenêtre de 30 msec (entre 45 msec et 15 msec avant la fin de la voyelle), c'est-à-dire de 20 % (entre 32 % et 12 %).

Les locuteurs âgés, à leur tour, présentent une zone de réalisation du H plus large : la majorité des tons sont produits environ 60 msec avant la fin de la voyelle (figure 2), ce qui correspond à environ 40 % de la durée de la voyelle à compter de sa fin (figure 3). La moitié des H analysés

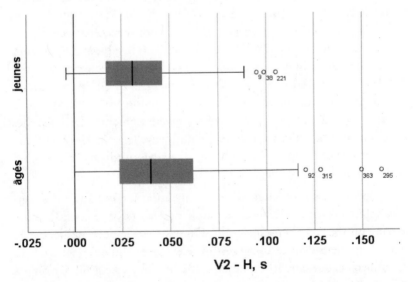

FIGURE 2 Boîtes à moustaches (*boxplots*) présentant la distribution des intervalles mesurés en valeurs de temps (secondes) selon le groupe d'âge.
Note : La ligne verticale marque *la fin* de la voyelle accentuée.

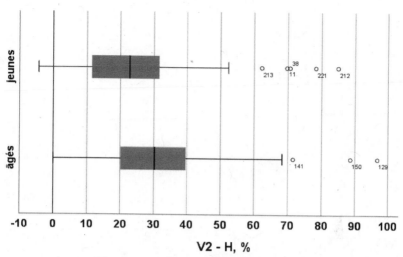

FIGURE 3 Boîtes à moustaches (*boxplots*) présentant la distribution des intervalles mesurés proportionnellement (pourcentage) selon le groupe d'âge.
Note : La ligne verticale marque la fin de la voyelle accentuée.

chez ce groupe apparaissent entre 63 msec et 25 msec (ou entre 40 % et 20 %). Cela donne une fenêtre de 38 msec ou de 20 %, ce qui est une zone plus large, en ce qui a trait au temps, que chez les participants jeunes, mais comparable, proportionnellement. Cependant, on ne peut ignorer la dispersion des valeurs, c'est-à-dire les cas aberrants où le H apparaît au début de la voyelle chez les deux groupes de locuteurs.

Les figures 4 et 5 présentent la dispersion des valeurs des intervalles V2-H pour le facteur de sexe. En comparant les résultats pour les hommes et les femmes, on constate que, chez les deuxièmes, les valeurs sont plus décalées vers la gauche (c'est-à-dire vers la fin de la voyelle) et qu'il y a moins de dispersion des valeurs en secondes (figure 4) qu'en pourcentage (figure 5). Chez les locutrices, la majorité des cibles sont réalisées à peu près 45 msec avant la fin de la voyelle (figure 4), ce qui correspond à 35 % de sa longueur (figure 5). La moitié des occurrences se réalisent entre 45 msec et 15 msec (soit 35 % et 15 %) avant la fin de la voyelle, ce qui correspond aux fenêtres de 30 msec, ou de 20 %.

Chez les hommes, la majorité des H apparaissent environ 60 msec (40 %) avant la fin de la voyelle, ce qui représente une zone plus étendue que chez les femmes. C'est aussi vrai pour la boîte représentant la moitié des résultats : chez les hommes, les pics apparaissent entre 60 msec et

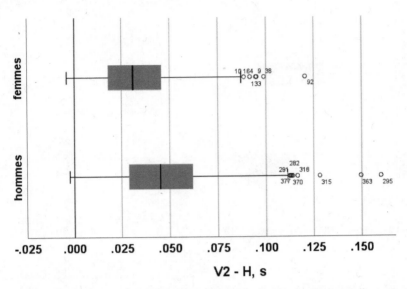

FIGURE 4 Boîtes à moustaches (*boxplots*) présentant la distribution des intervalles mesurés en valeurs de temps (secondes) en fonction du sexe.
Note : La ligne verticale marque *la fin* de la voyelle accentuée.

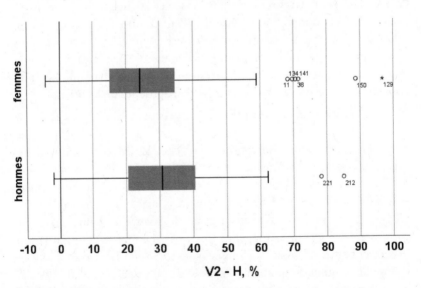

FIGURE 5 Boîtes à moustaches (*boxplots*) présentant la distribution des intervalles mesurés proportionnellement (pourcentage) en fonction du sexe.
Note : La ligne verticale marque *la fin* de la voyelle accentuée.

27 msec (fenêtre de 47 msec) avant la fin de la voyelle (figure 4). En proportion, cela équivaut à une fenêtre de 20 % (entre 40 % et 20 %) (figure 5).

Les résultats obtenus chez les femmes ressemblent à ceux qui ont été obtenus chez les jeunes. De même, les locuteurs plus âgés et les hommes ont montré des similarités. Ces tendances sont dégagées par les valeurs médianes, c'est-à-dire les lignes verticales séparant les boîtes en deux parties. Les médianes des jeunes et des femmes apparaissent entre 27 et 30 msec (22-24 %) avant la fin de la voyelle, et celles des locuteurs plus âgés et des hommes, entre 40 et 45 msec (30-31 %)[1].

Discussion

Notre étude cherchait à explorer l'alignement tonal en français ontarien en contexte minoritaire selon les axes sociolinguistique et méthodologique, en ajoutant ainsi des détails phonétiques au portrait prosodique de cette variété. Sur le plan méthodologique, nous avons soumis à l'analyse des données spontanées, qui posent un défi à toute analyse prosodique et qui ont imposé l'usage des mesures normalisées. Sur le plan sociolinguistique, notre étude cherchait à voir si les facteurs de sexe et d'âge ont un effet sur la réalisation du pic intonatif, et, par le biais du facteur d'âge, à aborder la question de l'influence de l'anglais sur la prosodie du français car, en contexte minoritaire, la restriction linguistique (Mougeon et Béniak, 1991) et l'âge sont souvent interreliés (Poiré, 2009).

L'analyse de la parole spontanée a apporté des détails pertinents à la description du français ontarien en contact et a confirmé les tendances observées dans le style de lecture.

La comparaison des résultats en millisecondes et en pourcentage a montré que ces méthodes de compilation de données peuvent indiquer des tendances inverses (tableau 3, groupes d'hommes et de femmes,

---

[1]   La distribution des valeurs individuelles a révélé que les locuteurs M2 et F2 se distinguaient des autres en réalisant le H plus tard. Nous les avons retirés de l'analyse des groupes de sexe et obtenu le même résultat que celui présenté plus haut. Nous n'avons pas pu procéder de façon similaire pour les groupes d'âge, puisque les deux locuteurs viennent du groupe des plus jeunes et leur élimination rendait les groupes trop déséquilibrés. Un plus grand nombre de participants permettra de confirmer les tendances pour les groupes d'âge.

intervalle H-V1). Rappelons qu'en millisecondes, ce sont les hommes qui réalisent le F0max plus tard que les femmes, alors qu'en proportion, c'est le contraire. Cette contradiction s'explique par la différence de durée des repères : chez les femmes, la durée des voyelles est moindre (143 msec) que chez les hommes (160 msec) ; ainsi, elles ont moins d'espace pour réaliser la montée intonative. La normalisation permet donc de prévenir une telle confusion. Ce résultat contradictoire nous fait, par ailleurs, penser qu'il peut être bénéfique d'inclure les deux frontières dans les calculs des intervalles. Outre cela, les mesures normalisées ont fait ressortir les similarités et les différences entre les groupes mieux que les mesures en millisecondes. L'utilisation plus large des mesures proportionnelles faciliterait la comparaison des résultats entre les dialectes et les langues, ce qui favoriserait l'examen de la stabilité de la réalisation des tons en général et de l'influence possible de l'anglais en français ontarien en particulier.

Sur l'axe sociolinguistique, notre hypothèse sur l'effet des facteurs d'âge et de sexe sur la réalisation du H a été confirmée : les deux variables affectent la réalisation du sommet mélodique, et les locuteurs plus jeunes et les femmes le réalisent plus tard et dans une zone plus étroite. Rappelons que l'effet du facteur de sexe est aussi ressorti dans les variétés majoritaires (Kaminskaïa, 2015a) où le pic de F0 apparaît plus tard également chez les femmes. Les résultats de la présente étude distinguent donc la variété minoritaire des contextes majoritaires et laissent entrevoir, en plus, un changement en cours porté par les jeunes et les femmes (Labov, 1990) et allant vers une stabilisation et un retard de la réalisation du pic mélodique. Les résultats de l'analyse du style de lecture, où nous avons observé une interaction entre les facteurs d'âge et de sexe (Kaminskaïa, 2015b), renforcent cette hypothèse. Nos analyses confirment ainsi que l'alignement tonal peut avoir une valeur régionale et sociostylistique.

Pour mieux comprendre si ces différences dans la réalisation des cibles tonales en français minoritaire proviennent de l'influence de l'anglais et pour mieux appréhender l'interaction entre les deux grammaires intonatives, il faudrait examiner l'alignement des tons en anglais parlé dans la région du sud-ouest de l'Ontario par des anglophones bilingues et unilingues. De plus, le niveau de la restriction linguistique des locuteurs bilingues devra être pris en considération pour mieux comprendre comment les pratiques linguistiques individuelles influencent la production orale des Franco-Ontariens[2]. Entre-temps, si la restriction linguistique dans le contexte du sud-ouest de l'Ontario caractérise par défaut les locuteurs plus jeunes (Poiré, 2009), l'alignement plus tardif confirmé statistiquement, et dans une zone plus compacte, semble témoigner de l'influence de l'anglais.

Dans l'ensemble, cependant, les résultats ont montré une zone de réalisation du H relativement large (la deuxième moitié de la voyelle accentuée; voir aussi Welby et Loevenbruck, 2006) et soutiennent donc l'hypothèse d'ancrage flexible (« *anchorage* ») et non pas celle d'ancrage stable (« *anchoring* »).

Conclusion

La présente étude s'est fixé pour but d'examiner l'alignement des pics mélodiques dans le français spontané parlé en milieu minoritaire en Ontario. Les enregistrements du français ontarien de Windsor ont servi à cette analyse. La question principale de la recherche concernait l'effet des facteurs sociaux sur le *timing* des tons hauts (H) dans cette variété. Une autre question portait sur la stabilité de la réalisation du sommet mélodique; elle voulait tester l'effet du contact avec l'anglais, où les tons se réalisent de manière plus compacte qu'en français. Pour mener à bien l'analyse, nous avons utilisé la parole spontanée et mesuré l'alignement en valeurs de temps et en pourcentage par rapport à la durée de la voyelle accentuée: étant donné l'origine dialectale du corpus (les particularités du vocalisme influant sur la durée inhérente des sons) et les changements du débit dans la parole spontanée qui contribuent à une grande variabilité des résultats interindividuels et intra-individuels, la normalisation des mesures a été nécessaire pour neutraliser cette variation. Par la même occasion, cela a permis de comparer les résultats et d'évaluer les deux méthodes.

Les deux méthodes ont révélé que le ton H est réalisé plus tard par les jeunes et par les femmes que par les participants plus âgés et les hommes. Ainsi, en moyenne, les locuteurs plus jeunes et les femmes réalisent ce ton 35 msec avant la fin de la voyelle, et les locuteurs plus âgés et les

---

[2]   Nous ne pouvons tester cet aspect puisque le protocole d'enquête n'a pas prévu les questions sur les habitudes de l'usage des langues française et anglaise par les participants.

hommes, respectivement 46 msec et 49 msec. En proportion, cela correspond respectivement environ à un quart et à un tiers de la durée de la voyelle avant sa fin. La réalisation plus tardive du H chez les jeunes et chez les femmes donnerait plus de place à la réalisation du ton bas sur la même voyelle, ce qui expliquerait l'intonation «chantonnante» du français ontarien (Artaud et Martin, 1968; Léon, 1992). Une étude en cours explore l'alignement du L pour tester cette hypothèse (Kaminskaïa, 2018). La distribution des intervalles a soutenu l'hypothèse d'ancrage flexible, mais a montré que les femmes et les jeunes produisent le H dans une zone plus serrée par rapport aux hommes et aux participants plus âgés.

Les résultats préliminaires de la présente étude devront être confirmés par une analyse de la production orale d'un plus grand nombre de locuteurs. L'analyse ultérieure envisage d'inclure, parmi d'autres aspects, l'examen de l'alignement des tons associés à l'accent rythmique initial, la prise en considération de la hiérarchie prosodique et de différents contextes pragmatiques et structures syntaxiques.

Bibliographie

ARTAUD, Marie-Claude, et Philippe MARTIN (1968). «Répartition de l'énergie articulatoire en français canadien et en français standard», *Recherches sur la structure phonique du français canadien*, Paris, Didier, p. 145-160.

ARVANITI, Amalia, D. Robert LADD et Ineke MENNEN (1998). «Stability of Tonal Alignment: The Case of Greek Prenuclear Accents», *Journal of Phonetics*, vol. 26, p. 3-25.

ARVANITI, Amalia, et Gina GÅRDING (2007). «Dialectal Variation in the Rising Accents of American English», dans Jennifer Cole et Jose Ignacio Hualde (dir.), *Papers in Laboratory Phonology*, vol. 9, Berlin, De Gruyter, p. 547-576.

ATTERER, Michaela, et D. Robert LADD (2004). «On the Phonetics and Phonology of "Segmental Anchoring" of F0: Evidence from German», *Journal of Phonetics*, vol. 32, p. 177-197.

BOERSMA, Paul, et David WEENINK (2015). *PRAAT: Doing Phonetics by Computer*, logiciel d'analyse instrumental, version 6.0, [en ligne], [http://www.fon.hum.uva.nl/praat] (12 novembre 2015).

BRUCE, Gösta (1977). *Swedish Word Accents in Sentence Perspective*, Lund, Gleerup.

D'IMPERIO, Mariapaola (2000). *The Role of Perception in Defining Tonal Targets and their Alignment*, thèse de doctorat (linguistique), Columbus, Ohio State University.

D'IMPERIO, Mariapaola, *et al.* (2006). « The Phonology and Phonetics of Prenuclear and Nuclear Accents in French », dans *Proceedings of ISCA Tutorial and Research Workshop on Experimental Linguistics, 28-30 August 2006, Athens, Greece*, p. 121-124.

DURAND, Jacques, Bernard LAKS et Chantal LYCHE (2009). « Le projet PFC : une source de données primaires structurées », dans Jacques Durand, Bernard Laks et Chantal Lyche (dir.), *Phonologie, variation et accents du français*, Paris, Hermès, p. 19-61.

GOLDMAN, Jean-Phillippe (2011). « EasyAlign : A Friendly Automatic Phonetic Alignment Tool under Praat », *Actes de la 12th Annual Conference of the International Speech Communication Association (INTERSPEECH 2011)*, Florence, Italie, p. 3233-3236.

JUN, Sun-Ah, et Cécile FOUGERON (2002). « Realizations of Accentual Phrase in French Intonation », *Probus*, vol. 14, p. 147-172.

KAMINSKAÏA, Svetlana (2015a). « Tonal Patterns, Associations and Alignment of Peaks in Regional French », *WORD*, vol. 60, n° 1, p. 101-140.

KAMINSKAÏA, Svetlana (2015b). « Variation intonative en français minoritaire en Ontario : portrait général et alignement du pic mélodique », *Neuphilologische Mitteilungen*, vol. 116, n° 2, p. 261-284.

KAMINSKAÏA, Svetlana (2015c). « L'apport du débit à l'étude du rythme phonétique à l'aide des mesures rythmiques : une étude de deux variétés du français laurentien », *Faits de langues*, vol. 45, p. 161-185.

KAMINSKAÏA, Svetlana (2018). « Peaks and Valleys of a Stress Group in Three Geographically Distant Varieties of French in Contact and Non-Contact Settings », *9th International Conference on Speech Prosody 2018*, Poznań, Pologne, p. 138-142, sur le site *ISCA* (International Speech Communication Association), [https://www.isca-speech.org/archive/SpeechProsody_2018/pdfs/72.pdf] (1er septembre 2018).

LABOV, William (1990). « The Intersection of Sex and Social Class in the Course of Linguistic Change », *Language Variation and Change*, vol. 2, n° 2, p. 205-254.

LADD, D. Robert, *et al.* (1999). « Constant "Segmental Anchoring" of F0 Movements under Changes in Speech Rate », *Journal of the Acoustical Society of America*, vol. 106, p. 1543-1554.

LADD, D. Robert, *et al.* (2009). « Structural and Dialectal Effects on Pitch Peak Alignment in Two Varieties of British English », *Journal of Phonetics*, vol. 37, p. 145-161.

LÉON, Pierre (1992). *Phonétisme et prononciations du français*, Paris, Nathan.

MILLER, Jessica S. (2008). « Tonal Alignment Distinctions between Standard French and Vaudois Swiss French », dans *Proceedings of the 8th International Seminar on Speech Production*, p. 229-232.

MOUGEON, Raymond, et Édouard BÉNIAK (1991). *Linguistic Consequences of Language Contact and Restriction: The Case of French in Ontario*, New York, Oxford University Press.

Pierrehumbert, Janet, et Shirley Steele (1989). « Categories of Tonal Alignment in English », *Phonetica*, vol. 46, p. 181-196.

Poiré, François (2009). « Le français canadien en milieu minoritaire : le cas du Sud-Ouest ontarien », dans Jacques Durand, Bernard Laks et Chantal Lyche (dir.), *Phonologie, variation et accents du français*, Paris, Hermès, p. 153-174.

Poiré, François, et Stephanie Kelly (2003). « Présentation de l'étude du français, langue minoritaire, dans le Sud-Ouest ontarien dans le cadre du PFC », communication faite à *Phonologie et phonétique du français : données et théorie*, Paris, Maison des sciences de l'homme, décembre.

Prieto, Pilar, et Francisco Torreira (2007). « The Segmental Anchoring Hypothesis Revisited: Syllable Structure and Speech Rate Effects on Peak Timing in Spanish », *Journal of Phonetics*, vol. 35, p. 473-500.

Silverman, Kim, et Janet Pierrehumbert (1990). « The Timing of Prenuclear High Accents in English », dans John Kingston et Mary E. Beckman (dir.), *Papers in Laboratory Phonology I*, Cambridge, Cambridge University Press, p. 72-106.

Themistocleous, Charalambos (2016). « Seeking an Anchorage: Stability and Variability in Tonal Alignment of Rising Prenuclear Pitch Accents in Cypriot Greek », *Language and Speech*, vol. 59, n° 4, p. 433-461.

Welby, Pauline (2006). « French Intonational Structure: Evidence from Tonal Alignment », *Journal of Phonetics*, vol. 34, p. 343-371.

Welby, Pauline, et Hélène Loevenbruck (2006). « Anchored Down in Anchorage: Syllable Structure, Rate and Segmental Anchoring in French », *Italian Journal of Linguistics*, vol. 18, p. 74-124.

Recensions

Andrée Lacelle (dir.), *Poèmes de la résistance*, Sudbury, Éditions Prise de parole, 2019, 109 p.

La poésie est-elle un acte politique ? En regardant la couverture du recueil collectif *Poèmes de la résistance* paru au printemps 2019 chez Prise de parole, la réponse semble assez claire. La page couverture de ce recueil est composée uniquement d'une définition-poème du mot « résistance », certains mots occupant plus de place sur la page que d'autres :

> Tenir tête à une autorité,
> à une limitation de sa liberté
> Un sentiment qui demeure
> Vivace en dépit de ce qui le menace
> Qui résiste, qui a de la cohésion
> Résistance électrique
> Ce qui résiste au temps,
> Aux causes de la dissolution

S'il est quelque peu dommage que le titre n'apparaisse pas sur la couverture, les mots choisis et délibérément grossis en disent beaucoup sur le contenu du recueil et représentent, dans quatre cas sur cinq, différentes sections du recueil : « Cohésion », « Sentiment », « Tenir tête » et « Temps », alors qu'une autre section porte le nom de « Matériaux ».

Le recueil se veut une continuation du « poème rapaillé » paru le 27 novembre 2018 sur les médias sociaux et publié sur le site Web de l'Assemblée de la francophonie de l'Ontario (l'AFO)[1]. Ce premier cri poétique rassemblait d'ailleurs 20 des 37 poètes ayant collaboré aux *Poèmes de la résistance*. Près de six mois après le « jour noir de l'Ontario français » paraît ce recueil collectif, comme pour redonner un souffle au

---

[1] Collectif, « Dire la lumière de notre colère : poème rapaillé », 2018, [en ligne], *AFO* (Assemblée de la francophonie de l'Ontario), [https://monassemblee.ca/wp-content/uploads/2018/11/LE-PO%C3%88ME-RAPAILL%C3%89_docx.pdf] (13 septembre 2019).

mouvement de la résistance franco-ontarienne face aux coupures annoncées par le gouvernement ontarien.

Après un très beau liminaire de la poète qui a dirigé le recueil, Andrée Lacelle, le premier poème des *Poèmes de la résistance* est des plus rassembleurs et des plus convaincants. «Les Dead Ducks vous disent bonjour» de Jean Marc Dalpé, dont les premières versions ont beaucoup circulé sur les médias sociaux en novembre 2018, donne le ton caustique, accusateur et ironique auquel on peut s'attendre d'un recueil résistant. Dalpé joue aisément avec les références culturelles franco-ontariennes, mais aussi franco-canadiennes et acadiennes, en ajoutant des clins d'œil à des événements historiques et à des personnages marquants des luttes francophones au pays. Ainsi, «[l]e regard acéré de Gisèle [Lalonde] devant Montfort» côtoie «[l]e regard noir de Madeleine Dumont aux abords de la Saskatchewan Sud» ainsi que celui, anonyme, mais tout aussi puissant, du «regard indompté de toutes les jeunes filles/entassées à bord des navires de Port-Royal [...] [en] 1755» (p. 9). En quelques vers, la résistance sort des frontières ontariennes et s'inscrit dans la longue durée de la présence et des luttes des francophones minoritaires du Canada.

Cette inscription dans le temps est une stratégie d'écriture partagée par plusieurs poètes du recueil. Qu'il s'agisse d'évoquer le passé afin de rappeler les luttes victorieuses et la résilience des Franco-Ontariens ou d'imaginer un avenir prometteur et optimiste, l'usage de la temporalité par les poètes est très bien calculé et permet de réduire l'importance, voire l'influence de la période actuelle dans laquelle ils se trouvent. Ainsi, plusieurs rappelleront, de façon plus ou moins implicite, les récentes victoires de l'Ontario français, dont la lutte pour sauver l'hôpital Montfort en 2001 : «Ma Santé, c'est mon fort», écrit André Charlebois (p. 97). Le recueil s'inscrit aussi par moments dans l'avenir, comme en témoigne le poème «De toutes les histoires» de David Ménard. C'est une résistance victorieuse qui se dessine sous la plume de Ménard, qui affirme haut et fort que

dans vingt ans
nous regarderons la reprise de notre victoire à TFO
que Chantal Hébert commentera allègrement
il y aura des banquets de *curds* St-Albert mur à mur
les uns iront à la cabane à sucre à Green Valley
les autres célèbreront la Saint-Jean à Iroquois Falls
Catherine Dorion nous enverra un clin d'œil
en portant son t-shirt de Patrice Desbiens (p. 95)

Le poème raconte la résistance en se projetant dans l'avenir, comme si ce nouveau combat, ces nouvelles coupures, étaient déjà choses du passé.

D'autres poètes ont plutôt choisi d'interpeller directement celui qui, sans le savoir, les a rassemblés autour de ce projet poétique : les deux premiers poèmes de la section «Sentiment», de Sonia-Sophie Courdeau et d'Antoine Côté Legault, s'adressent explicitement à Ford, non par son nom, mais par son prénom. Ces deux «poèmes pour Doug» tendent plutôt vers le sentiment que le ressentiment, vers la communication plutôt que la colère envers le chef du gouvernement. Alors que Courdeau lui lance : «On aurait pu bien s'entendre, Doug» (p. 28), Côté Legault lui rappelle : «vieux dogue ne sais-tu pas / nous escadron de marmottes / ne céderons pas notre peur si facilement» (p. 31). Andrée Lacelle, quant à elle, ne lui accorde qu'une seule lettre dans son poème qui clôt le recueil, conjuguant elle aussi à tous les temps :

> Avant F   il y eut
> Après F   il y aura
> Et nous résistantes résistants
> Nous vivions au présent
> Au présent de tous les temps (p. 103)

On lit ce recueil pour la poésie, pour l'audace, pour son côté rassembleur et aussi pour se laisser surprendre par des voix connues et méconnues de l'Ontario français, qu'on gagne à découvrir. Des poètes qui n'avaient peut-être pas auparavant pris la parole dans un acte aussi ouvertement résistant, mais qui, unis par l'annonce fatidique du 15 novembre 2018, ont tenu leur plume et tenu tête au gouvernement de Ford. Le rassemblement de tous ces poètes, de toutes ces voix, de tous ces mots dans le but d'«écrire la lumière de notre colère», comme le souligne Andrée Lacelle dans son liminaire, est plus que convaincant. En espérant que ce geste collectif aura une influence tout aussi importante sur la scène politique que sur la scène littéraire[2].

Véronique Arseneau
Université d'Ottawa

---

[2]   NDLA : Quelques jours après avoir écrit ces lignes (soit le 7 septembre 2019), le gouvernement ontarien a confirmé le financement du projet de l'Université de l'Ontario français, avec la collaboration du gouvernement fédéral. Le poste de commissaire aux langues officielles n'a toujours pas été rétabli.

Michael Poplyansky, *Le Parti acadien et la quête d'un paradis perdu*, Québec, Éditions du Septentrion, 2018, 400 p.

Le livre de Michael Poplyansky présente une étude de cas du Parti acadien, actif sur la scène politique néobrunswickoise durant les années 1970. Ce parti a notamment marqué les esprits avec sa promesse phare qui était la scission du Nouveau-Brunswick pour créer une province acadienne. L'auteur décortique l'histoire de la montée de ce mouvement politique en le situant dans un contexte transnational et en cherchant à montrer de quelle manière certaines tendances qui dépassent les frontières de l'Acadie viennent l'influencer, tant sur le plan pratique qu'idéologique. L'analyse suit la chronologie de l'histoire du parti et se base sur de multiples sources archivistiques. L'ouvrage s'inscrit dans la lignée des écrits sur le néonationalisme, que Poplyansky définit «comme toute tentative d'utiliser l'État pour servir les intérêts collectifs des Acadiens» (p. 22).

À l'image de la Révolution tranquille au Québec, le Nouveau-Brunswick a aussi connu d'importantes réformes modernisatrices durant les années 1960 grâce au programme de «chances égales pour tous» du premier ministre Robichaud. L'une des idées sous-jacentes à ces réformes est que les Acadiens pourraient s'intégrer et participer pleinement à des structures bilingues sans être assimilés pour autant. À l'instar de Belliveau (2014), Poplyansky souligne que le climat sociopolitique de 1968 mène à une remise en cause des institutions traditionnelles en Acadie et à la capacité de l'État néobrunswickois de réellement permettre l'épanouissement de la nation acadienne. C'est à cette époque que l'idée de délimiter un territoire acadien commence à être soulevée de manière sérieuse dans l'espace public par les tenants du néonationalisme acadien naissant.

Au moment de fonder le Parti acadien en 1972, les instigateurs du projet sont animés par des enjeux nationaux, mais sont aussi fortement influencés par les courants de gauche de l'époque. Les militants acadiens revendiquent à la fois une reconnaissance importante de leurs droits collectifs, mais aussi un modèle de société plus égalitaire. Lors de la campagne électorale de 1974, l'accent est placé sur la manière dont les Acadiens sont exploités dans le régime capitaliste, et peu d'enjeux proprement acadiens sont abordés par les candidats du parti. L'objectif est de rallier la population acadienne à la cause nationale en évoquant leur condition socioéconomique, en plus de tenter de séduire, sans succès, l'électorat anglophone.

En 1977, une cellule de militants marxistes-léninistes quitte le Parti acadien. Bien que ceux-ci aient toujours constitué une minorité au sein du mouvement, l'auteur souligne que leur départ est l'occasion de revoir le programme politique du parti et de mettre à l'avant-plan le caractère nationaliste du mouvement. Le parti se dote alors d'un projet politique clair, soit celui d'une province acadienne. Lors des élections de 1978, le Parti acadien connaît ses meilleurs résultats électoraux de sa courte histoire. Le curé de Kedgwick, Armand Plourde, est presque élu dans la circonscription de Restigouche-Ouest. Poplyansky mentionne qu'il ne faut toutefois pas interpréter la candidature de membres du clergé ou la relégation au second plan des discours de gauche au profit des ambitions nationalistes comme une rupture idéologique fondamentale. Le Parti acadien conserve son caractère progressiste et des candidatures comme celle d'Armand Plourde, qui défend les classes populaires tout en reconnaissant la contribution de l'élite acadienne, permettent de déradicaliser le projet autonomiste dans l'opinion publique.

Malgré cela, le Parti acadien ne survit pas aux changements dans le contexte politique du début des années 1980. Les résultats électoraux décevants de l'élection de 1982 marquent la fin du parti. Poplyansky propose plusieurs pistes d'explication, dont l'effet démobilisateur qu'apporte la défaite des souverainistes lors du référendum québécois, les luttes internes au parti et, de manière plus générale, un contexte moins favorable aux idées de gauche et le fait que les *baby-boomers*, à l'avant-plan des luttes des années 1970, prennent de l'âge.

Toutefois, l'argument central de Poplyansky pour expliquer la disparition du Parti acadien réside dans la capacité du gouvernement provincial à coopter de façon efficace et permanente le nationalisme autonomiste acadien. À l'image de la stratégie d'unité nationale de Pierre Elliot Trudeau qui culmine avec l'adoption de la Charte au niveau fédéral pour contrecarrer le nationalisme québécois, le gouvernement du Nouveau-Brunswick adopte la *Loi reconnaissant l'égalité des deux communautés linguistiques officielles au Nouveau-Brunswick* en 1981. En accordant aux Acadiens la gestion d'institutions dans les domaines culturel, éducationnel et social, le gouvernement provincial cherche à couper l'herbe sous le pied aux autonomistes acadiens.

En plus de documenter un cas d'espèce, l'auteur offre aussi une contribution intéressante aux travaux portant sur le nationalisme. Il lie la montée du Parti acadien à l'émergence du néonationalisme associé à une volonté de prise en charge des structures étatiques, en contraste avec le nationalisme traditionnel associé aux symboles nationaux datant des conventions nationales de la fin du XIX\ :sup:`e` siècle. Il nuance toutefois la dichotomie entre nouveau et ancien nationalismes en insistant sur les éléments de continuité entre ces deux formes de nationalisme. «On se révolte contre le statu quo, non en faisant table rase, mais en retrouvant, dans la mesure du possible, un paradis perdu.» (p. 56) Les références au mode de vie d'antan ainsi qu'à l'œuvre des ancêtres sont des thèmes récurrents du modèle de société proposé par le Parti acadien, comme en témoigne la valeur importante accordée à la gouvernance locale et aux formes traditionnelles de subsistance.

Bien que Poplyansky fasse référence aux travaux de Ian McKay sur la capacité de l'État canadien à imposer l'idéologie libérale, il aurait été pertinent de développer davantage sur l'influence des stratégies du gouvernement fédéral sous la gouverne de Pierre Elliot Trudeau, sur les dynamiques politiques au Nouveau-Brunswick. Par exemple, les travaux de Kenneth McRoberts auraient pu être utiles à cet effet. Le livre est rédigé de manière à être accessible, même à un public peu familier de la politique néobrunswickoise ou de la question du nationalisme. Les multiples citations tirées des archives, qui conservent le langage cru de l'époque, offre un style particulier à l'ouvrage, ce qui rend la lecture dynamique. En somme, il s'agit d'une contribution intéressante pour s'initier à la politique acadienne et au néonationalisme.

Bibliographie

Belliveau, Joel (2014). *Le «moment 68» et la réinvention de l'Acadie*, Ottawa, Les Presses de l'Université d'Ottawa.

McKay, Ian (2000). « The Liberal Order Framework: A Prospectus for a Reconnaissance of Canadian History », *Canada Historical Review*, vol. 80, n° 4, p. 617-645.

McRoberts, Kenneth (1999). *Un pays à refaire*, Montréal, Éditions du Boréal.

Poplyansky, Michael (2018). *Le Parti acadien et la quête d'un paradis perdu*, Québec, Éditions du Septentrion.

Guillaume Deschênes-Thériault
Université d'Ottawa

Monique Benoit et Marc Trottier, *La violence faite aux femmes et l'état de stress post-traumatique : le témoignage de femmes à Sudbury,* **Éditions Prise de parole, 2018, 208 p.**

L'ouvrage de Monique Benoit et de Marc Trottier se fonde sur le constat qu'il est plus difficile de mesurer et même de détecter la violence psychologique et ses effets sur les femmes victimes de violence conjugale, et ce, comparativement à la violence physique. Bien que les femmes victimes de violence conjugale représentent un des groupes les plus vulnérables en ce qui a trait au développement d'un état de stress post-traumatique (ci-après ESPT), peu d'études abordent le diagnostic de l'ESPT chez ces dernières et aucune recherche sur l'ESPT ne privilégie le point de vue des femmes et des intervenantes qui les accompagnent. Or, dans le cadre d'une recherche menée à Sudbury dans le nord de l'Ontario, les auteurs ont recueilli le témoignage de vingt femmes victimes de violence conjugale, dont certaines avaient un diagnostic d'ESPT, ainsi que de dix-sept intervenantes qui travaillent dans des centres d'aide auprès de femmes francophones.

L'ouvrage se décline en sept chapitres. Le premier chapitre dresse un portrait des différentes composantes qui ont mené à la reconnaissance de la violence conjugale en tant que problématique pénale et sociale. Fortement influencée par le mouvement féministe, cette reconnaissance a permis d'évaluer l'ampleur de la violence conjugale et de coordonner des services pour soutenir les femmes, notamment grâce à des organisations communautaires, à des maisons d'hébergement et à des centres d'aide. Dans le deuxième chapitre, les auteurs montrent les liens entre la domination quotidienne exercée par le conjoint violent, la violence dont il fait preuve souvent pendant plusieurs années, ainsi que la peur des femmes pour leur sécurité, en tant que facteurs qui contribueraient au développement d'un ESPT. Le troisième chapitre souligne l'efficacité des stratégies thérapeutiques basées sur l'approche cognitivo-comportementale, axée sur une restructuration des pensées, dans le traitement de l'ESPT. Les auteurs soulignent toutefois les limites des thérapies cliniques, notamment en ce qui a trait à la disponibilité de celles-ci dans un contexte francophone minoritaire, les coûts élevés qui y sont associés ainsi que la non-reconnaissance du contexte social de la violence. Pour Benoit et Trottier, la thérapie de la survivance (*Survivor Therapy*), qui considère les femmes comme des survivantes de la violence conjugale, permet de diminuer la stigmatisation de ces dernières, en raison des principes féministes associés à cette thérapie, qui analyse la violence conjugale en fonction des structures sociopolitiques patriarcales et qui mise sur une intervention basée sur les forces de chaque femme. À la lumière des témoignages des vingt participantes, le cinquième chapitre illustre les différentes manifestations de la violence conjugale qui entraînent plusieurs conséquences autant sur le plan social, professionnel que sur la santé physique et mentale des femmes. Les participantes soutiennent qu'il est difficile de surmonter ces traumatismes surtout à Sudbury où l'offre de services en français est problématique. Illustrant la perspective des intervenantes rencontrées, le sixième chapitre permet de mieux comprendre la définition de l'ESPT découlant de la violence conjugale, qui se manifeste par une multitude d'effets physiques (blessures, médicamentation, fibromyalgie), émotionnels (anxiété, perte de confiance en soi et dans les autres, peur) et sociaux (isolement et perte de réseau). Finalement, au septième chapitre, Benoit et Trottier montrent le lien qu'ils qualifient d'«évident» entre les femmes victimes de violence conjugale et les soldats qui reviennent de la guerre. La violence conjugale deviendrait, selon eux, comme «une arme contre les femmes» (p. 177). Bien que les auteurs reconnaissent la contribution positive des intervenantes qui travaillent avec les femmes victimes de violence conjugale à Sudbury, ils estiment qu'il y a un manque de services thérapeutiques spécialisés pour bien traiter l'ESPT. Ils encouragent donc les intervenantes à privilégier l'approche cognitivo-féministe intersectionnelle pour travailler sur la restructuration cognitive des femmes. Cette approche valoriserait les forces de chaque femme en tant que survivante de violence conjugale, tout en menant une analyse qui rendrait compte des autres contextes de vulnérabilité, comme la langue, le statut d'immigration et l'âge. Les auteurs avancent également que cette thérapie doit inclure un soutien pharmaceutique.

Réflexion critique

Cet ouvrage présente un regard novateur sur l'ESPT qui s'éloigne des recherches positivistes privilégiant des méthodologies quantitatives. Toutefois, bien que l'objectif fût de montrer le manque de ressources et de formation de certains professionnels, il aurait été intéressant de présenter davantage les contributions des intervenantes qui travaillent dans le domaine de la violence conjugale et leur expertise, qui peut effectivement aider les femmes à faire face aux différentes conséquences de la violence conjugale. En revanche, il semble important de mettre en doute la nécessité de former les intervenantes sur le traitement de l'ESPT, considérant la forte opposition du mouvement féministe à la psychologisation des conséquences de la violence sur les femmes. Dans le même ordre d'idées, une certaine prudence aurait été de mise lorsque les auteurs avancent qu'il est important pour les femmes de bénéficier d'un soutien pharmaceutique à la suite d'une thérapie afin de réduire les effets de l'ESPT, considérant la problématique de la surmédicalisation des femmes et de la médicalisation des effets de la violence. Par ailleurs, les participantes de cette étude ont également critiqué la médication trop facilement recommandée par leurs psychiatres. Ainsi, on se doit d'être critique face au diagnostic de l'ESPT découlant de la violence conjugale afin de ne pas psychologiser davantage les effets de la violence sur les femmes, ce qui pourrait augmenter la stigmatisation à leur égard.

De surcroît, bien que la majorité des études sur l'ESPT, abordées dans la recension des écrits de cet ouvrage, ait été faite auprès de femmes qui se déclaraient blanches et que les contextes de marginalité aient également été soulevés dans la recension des écrits en tant que facteur aggravant la vulnérabilité des femmes, la méthodologie n'indique malheureusement pas si la recherche comprenait des participantes issues de différents contextes de vulnérabilité. Ceci aurait été éclairant considérant que les auteurs suggèrent de prioriser une approche féministe intersectionnelle et que celle-ci prend principalement racine au sein des féministes afro-américaines.

Somme toute, l'ouvrage permet de jeter un regard plus que nécessaire sur les conséquences importantes de la violence conjugale sur les femmes et sur l'urgence de disposer de plus de ressources pour mieux accompagner celles qui vivent dans un contexte francophone minoritaire. Les auteurs ont bien montré les barrières systémiques auxquelles sont confrontées les femmes victimes de violence conjugale en raison de l'offre limitée de services en français.

Michèle Frenette
Université d'Ottawa

Ingrid Neumann-Holzschuh et Julia Mitko, *Grammaire comparée des français d'Acadie et de Louisiane (GraCoFAL), avec un aperçu sur Terre-Neuve*, Berlin, De Gruyter, 2018, 942 p.

Cet ouvrage a pour but de comparer trois variétés de français nord-américaines, parlées au Canada mais aussi aux États-Unis, à savoir le français acadien, le français louisianais et le français terreneuvien. Toutefois, ce dernier ne figure qu'à titre d'«aperçu» en raison de l'absence de corpus proprement dit permettant de décrire cette variété sur la même base que les deux autres, tandis que les observations portant sur deux autres variétés de français, le *Mississippi Gulf Coast French* et le «français québécois» (p. LX) (appellation rare vu la situation majoritaire du français au Québec, tout comme celle de «madelinien» pour «madelinot») sont fréquentes, sans parler d'autres variétés laurentiennes (franco-ontarien, franco-manitobain, franco-albertain) ou du français mitchif. Le fait que chaque chapitre comprenne une description des phénomènes basée sur un nombre impressionnant d'exemples pertinents et des commentaires de nature historique, variationnelle ou diachronique, qui se distinguent aisément grâce à une police légèrement plus petite, est à mettre au crédit de l'ouvrage.

La division en GN, GV et phrase est classique et efficace. L'approche est généralement descriptive ainsi que la terminologie, bien que cette dernière puisse parfois prêter à discussion. Ainsi, à l'intérieur de la classe des quantifieurs (p. 101) sont distingués les déterminants indéfinis simples («plusieurs», «quelques»,…) et composés («n'importe quel», adverbe + de [«pas grand de»]), etc. Mais il est difficile de parler de composition quand il n'y a pas association de plusieurs bases lexicales, mais juxtaposition d'un élément lexical et d'un autre plus grammatical («de»), ce dernier étant d'ailleurs le plus souvent absent dans le cas de «(pas) grand». Ailleurs, des indépendantes sont prises pour des principales : «que le Bon Dieu aye pitié de son âme», dans la partie sur le subjonctif (p. 326-327), «on la paquait dans du son de scie, mettait dans ène bâtisse, pis mettre à peu près un pied de son de scie dans les bords», dans la partie sur l'infinitif substitut (p. 447).

Les trois variétés principales analysées dans l'ouvrage sont distinctes, mais apparentées à deux titres : le fait d'être en situation minoritaire au sein d'une majorité anglophone et de connaître une influence de l'anglais (mais les auteures précisent avec raison qu'il ne s'agit pas pour autant de voir dans l'anglais, facteur intersystémique de changement par contact, la source de tout changement, car un rôle important est joué par les processus d'autorégulation), et leur « héritage acadien » (p. L). Si l'on peut légitimement voir dans le louisianais une part d'héritage acadien, que l'autoproclamation d'« Acadiana » d'une partie du sud de la Louisiane ne doit pas nous faire surestimer, cette formulation appliquée à l'acadien lui-même peut surprendre puisqu'elle revient à dire que le français acadien a un héritage acadien et, appliquée au français terreneuvien, elle pose la question du périmètre de ce qu'on entend par « acadien » et donc, par « Acadie ».

En effet, l'Acadie est composée des trois Provinces maritimes (Nouveau-Brunswick, Nouvelle-Écosse et Île-du-Prince-Édouard), des Îles-de-la-Madeleine et de Terre-Neuve, sans oublier que l'acadien est aussi parlé, entre autres, en Gaspésie, sur l'île d'Anticosti et au nord-est de la Nouvelle-Angleterre aux États-Unis. Terre-Neuve est donc présentée à juste titre comme faisant partie intégrante de l'Acadie historiquement, en dépit du fait que le titre laisse entendre que Terre-Neuve ne fait partie ni de la Louisiane ni de l'Acadie, sans doute parce qu'elle est excentrée par rapport aux autres sur le plan géographique. D'autre part, Terre-Neuve a un « héritage acadien » tout en constituant une variété distincte. Si « la présence du français se limite plus ou moins à la presqu'île de Port-au-Port » (p. XVI), le fait que de nombreux francophones de cette partie de Terre-Neuve ne viennent pas des Provinces maritimes, contrairement à ceux de Kippens et de Stephenville, mais sont des descendants de déserteurs de la marine marchande française venus de l'ouest de la France, a peut-être contribué à la présence de traits non typiquement acadiens dans la variété terreneuvienne retenue.

Mais leur ambition, outre de comparer ces trois variétés de français nord-américaines, est aussi de fournir une meilleure compréhension de la variation morphosyntaxique du français en général (p. XLIX). Cet objectif, en plus de faire courir le risque de redire ce qui est dit ailleurs sur le français en général, nécessite un subtil équilibrage en regard de la volonté, d'ailleurs bien compréhensible, de se focaliser sur les différences par rapport au français de France (voir, par exemple, p. 121, 294, 440). Et se focaliser sur les particularités oriente, bien entendu, les choix de se concentrer sur certaines zones plutôt que sur telles autres, notamment les marqueurs les mieux étudiés en linguistique canadienne (ainsi p. 138

et sqq., toute une partie est consacrée à «tout»), étant entendu qu'une vision critique des résultats de la recherche utilisée doit toujours être de mise. Ainsi, la dichotomie «progressivité focalisée»/«progressivité durative» de Bertinetto, reprise également par Pusch (p. 411), ne va pas sans contradiction entre valeur primaire et certaines valeurs secondaires.

Se pose alors la question de la variété de français de France à prendre en considération, que les auteures n'éludent pas. Car elles traitent aussi de phénomènes qui, de façon plus restreinte, ne diffèrent que du français de France standard (p. 804-806), c'est-à-dire qui se retrouvent en France en français non standard (p. 571) et en français parlé (p. 501), étant entendu que les termes de «parlé» et de «non standard» ne sont pas équivalents et méritent des définitions précises.

Les classifications gagneraient parfois à être précisées ou explicitées : en quoi «par» est-il une préposition faible? (p. 551); une distinction entre pronominal réfléchi à objet inaliénable et pronominal éthique à objet aliénable avec un verbe bivalent serait utile (p. 100); parler de «pronoms adverbiaux» pour «y» et «en» (p. 244 et sqq.) nivelle des différences importantes; plutôt qu'une distinction binaire entre «être» auxiliaire + participe passé et «être» copule + adjectif, une distinction ternaire entre «être» copule, «être» dans une structure temporelle marquant l'antériorité avec un repère de révolu et «être» dans une structure aspectuelle d'accompli permettrait de faire en sorte qu'une séquence comme «il est parti» (p. 278 et sqq.) ne soit pas exclue *a priori* d'une étude sur les auxiliaires.

Des choix pourraient parfois être faits plutôt que de tenter de concilier des positions quasi inconciliables : au sujet de la tendance au non-accord du verbe avec son sujet, si le non-accord se manifeste surtout après les sujets non pronominaux et après les relatives sujets en «qui», on ne peut pas adopter la conclusion de Chaudenson *et al.* (p. 259), selon laquelle la tâche d'indiquer la personne grammaticale repose sur les seuls pronoms personnels, justement parce que, dans les cas concernés, le sujet n'est pas un pronom personnel. Si le futur simple est en train de se spécialiser pour les valeurs modales et le futur périphrastique pour les valeurs temporelles, peut-on dire que le degré de certitude favorise le futur périphrastique (p. 371)? Si le subjonctif est expliqué sur la base de la non-assertion (p. 315), il est difficile d'intégrer la partie de l'ouvrage où il est dit qu'il s'emploie dans le domaine «affectif» («c'est bon que tu peuves t'en souvenir de tout ça»). Si l'hypothèse de l'absence du sub-jonctif comme héritage du français préclassique est retenue (p. 308), les variétés dans lesquelles ce mode est par contre le plus présent peuvent difficilement être qualifiées de conservatrices (p. 309) car si elles sont conservatrices, alors le recul du subjonctif y est le fruit d'une évolution.

Il s'agit d'un livre de référence, à consulter sur tel ou tel point de morphosyntaxe en fonction des besoins, qui fait le bilan d'une bonne partie de l'état de la recherche acadianiste actuelle, offrant à ses lecteurs une documentation riche et précise, appuyée sur de solides références et qui a le mérite d'adopter une démarche comparative, pionnière par son envergure dans le domaine de la linguistique canadianiste, qui prend à bras le corps un foisonnement de variantes au sein des variétés. Il tisse des liens vers les créoles, ouvre naturellement des fenêtres sur les français populaires du xviie siècle et de l'époque coloniale et est une invitation pour la communauté des chercheurs à emprunter la voie comparative afin de mettre dos à dos d'autres variétés de français.

Pierre-Don Giancarli
Université de Poitiers

Alexandre Klein, Hervé Guillemain et Marie-Claude Thifault (dir.),
***La fin de l'asile ? : histoire de la déshospitalisation psychiatrique dans l'espace francophone au xxe siècle*, Rennes, Presses universitaires de Rennes, 2018, 240 p., coll. «Histoire».**

Débutons par la présentation de la nature de cet ouvrage. Il ne s'agit pas d'un ouvrage de synthèse, comparant le processus de désinstitutionna-lisation dans différentes communautés francophones de l'Amérique du Nord et de l'Europe. Il s'agit plutôt d'un recueil de 13 chapitres portant sur divers aspects du processus de désinstitutionnalisation, qui caractérise la manière avec laquelle les personnes qui reçoivent des soins de santé mentale ont été renvoyées dans les collectivités. Il faut noter que les res-ponsables de cet ouvrage collectif proposent un nouveau terme pour dési-gner ce processus devenu une politique gouvernementale adoptée dans la plupart des pays nord-américains et européens. Ces auteurs proposent le terme de déshospitalisation plutôt que désinstitutionnalisation, qui est largement utilisé par les spécialistes. Ce terme, comme le signalent les auteurs dans l'introduction du volume, souligne que la déshospitalisation renvoie au processus de «disparition concrète, celle de l'hôpital comme pivot de l'institution psychiatrique» (p. 9). Cette définition correspond, selon eux, à ce qui s'est produit lorsque la plupart des pays de l'Amérique du Nord et de l'Europe ont opté pour le renvoi des patients, confinés dans les asiles, dans les communautés. Il sera intéressant de noter si ce nouveau terme sera repris dans les futures études portant sur le processus de désinstitutionnalisation.

Le recueil compte quatre parties et chacune de ces parties inclut une brève introduction permettant de situer les différents chapitres. La première partie rappelle la présence des asiles, comme politique publique, mais aussi comme manière de traiter des personnes qui ont besoin de soins de santé mentale. Pourtant, ce processus fait l'objet de contestation, comme le rappelle le chapitre d'Aude Fauvel et de Wannes Dupont sur Gheel, ville située en Flandre et considérée comme « [c]olonie d'État pour le traitement familial des affections mentales» (p. 28). Alors que le reste de la Belgique privilégie l'enfermement des gens qui reçoivent des soins de santé mentale, cette ville permet à ces «malades» de cohabiter avec ceux qui ne souffrent pas de troubles mentaux. Ce cas suscite la curiosité, car comment des gens dits «normaux» peuvent cohabiter avec des «malades»? Dans les efforts pour trouver les origines du mouvement de désinstitutionnalisation, Marie Derrien rappelle que la Première Guerre mondiale est une période importante. Avant 1914, des psychiatres français critiquaient la présence des asiles et leur utilisation pour traiter la maladie mentale. Avec la guerre et la croissance du nombre de soldats souffrant de troubles mentaux, le retour dans la famille des malades est non seulement encouragé, mais les familles accueillent cette politique très favorablement, puisqu'elles jugent être en mesure de prendre soin des leurs. Mais la fin de la Première Guerre mondiale met un terme à cette ouverture en matière de soins de santé mentale en France. Enfin, le chapitre d'Isabelle von Bueltzingsloewen traite de la Seconde Guerre mondiale et des efforts pour renvoyer les individus, qui ont besoin de soins de santé mentale, dans les familles. Par ailleurs, ces efforts se butent à des difficultés, car ce ne sont pas toutes les familles qui peuvent accueillir ces malades, et certains établissements ne veulent pas se priver de leurs patients dont plusieurs constituent une main-d'œuvre essentielle au fonctionnement de ces institutions.

La deuxième partie compte quatre contributions portant sur divers aspects du processus de déshospitalisation. Alors que le chapitre de Maria

Neagu propose une analyse du traitement médiatique de la santé mentale dans trois journaux, deux de l'Ontario français et l'un de Montréal, celui de Sandra Harrisson et de Marie-Claude Thifault lève le voile sur le rôle de l'infirmière psychiatrique. Je signale la contribution d'Alexandre Klein et son chapitre sur le parcours du psychiatre terreneuvien, Charles A. Robert. Ce dernier a joué un rôle important dans la réorganisation des services de psychiatrie au Québec dans les années 1960, mais également dans le développement de la psychiatrie au Canada. Ce chapitre a le mérite de rappeler le rôle de professionnels anglophones dans la réforme des services de psychiatrie. Enfin, le dernier texte de cette partie, celui d'Hervé Guillemain, traite de la question des patients et de leur liberté d'accepter ou de refuser des traitements.

La troisième partie traite des « mirages de la désinstitutionnalisation psychiatrique ». Cette partie rappelle que le processus, qui est venu à dominer les politiques en matière de soins de santé mentale, n'obéit pas à une chronologie commune à la plupart des pays nord-américains et européens. Au contraire, les textes de Benoit Majerus sur la Belgique, ceux d'Hervé Guillemain et d'Emmanuel Delille sur la France et de Marie LeBel sur l'Ontario français nous rappellent que ces processus varient d'un pays à l'autre. Après tout, ce sont les États qui mettent en place cette politique, ce qui explique les calendriers variés.

La dernière partie, qui ne compte que deux textes, traite du thème des « devenirs et contrecoups de la "désinstitutionnalisation" ». Le chapitre de Marie-Claude Thifault sur l'étude de cas d'une patiente de l'hôpital Montfort à Ottawa et celui de Laurie Kirouac, d'Alexandre Klein et d'Henri Dorvil montrent en quoi les études de cas contribuent à la complexification de l'analyse du processus de déshospitalisation.

Je termine mon texte en formulant un souhait. J'espère que les responsables de cet ouvrage collectif se lanceront dans la rédaction d'un ouvrage de synthèse portant sur la mise en place du processus de déshospitalisation. Si les auteurs acceptent notre invitation, j'espère qu'ils conserveront également une démarche comparative pour ainsi mieux illustrer les aspects particuliers de ce processus, mais également sa complexité dans diverses communautés francophones.

Marcel Martel
Université York

Résumés/Abstracts

Janique Dubois et Michael Poplyansky

L'état des connaissances sur la Fransaskoisie: une analyse de la recherche produite entre 1960 et 2018

Cet article révèle la présence d'une recherche engagée dans le contexte fransaskois. À partir d'une analyse des études consacrées à cette communauté, les auteurs dégagent les principaux courants thématiques et méthodologiques qui ont marqué la recherche sur les Fransaskois depuis les années 1960. Ils mettent en lumière la longue histoire de partenariats entre l'université et la communauté et analysent le rôle des réseaux universitaires et des groupes de recherche dans la production des savoirs. Enfin, l'article rend compte de l'effet de la recherche sur la capacité d'agir de la communauté fransaskoise.

This article exposes the long history of engaged research in the Fransaskois context. Based on an analysis of the literature related to this community, the article identifies the main thematic and methodological trends that have marked research on the Fransaskois since the 1960s. It highlights established university-community partnerships and analyzes the role of networks and research units in the production of knowledge. Finally, the article assesses the impact of research on the empowerment of the Fransaskois community.

Martin Normand

L'offre active de services en français: généalogie d'un outil de politique publique

L'offre active de services en français est un principe qui s'est rapidement imposé dans le discours des principaux intervenants dans le domaine de la promotion et de la protection des langues officielles et de la dualité linguistique au Canada. Elle a été intégrée à des politiques, à des règlements et à des lois au palier fédéral et dans plusieurs provinces canadiennes.

Plusieurs travaux ont été consacrés aux aspects liés à la mise en œuvre du principe. Cet article va au-delà de ces contributions pour retracer l'histoire de l'offre active. Il répond à deux questions: 1) quelle est l'origine de l'offre active? et 2) quels sont les principaux jalons dans son évolution et sa diffusion? L'hypothèse est que les représentations initiales de l'offre active n'étaient pas que techniques ou formalistes et qu'elles se sont effritées avec le temps. La recherche repose essentiellement sur des sources primaires et secondaires, qui nous ont permis de reculer jusqu'au moment où le principe semble avoir émergé. Le texte s'organise autour de trois périodes: la conceptualisation, l'institutionnalisation et la diffusion de l'offre active.

The active offer of French-language services has quickly become a staple in the discourse of various stakeholders involved in the promotion and the protection of official languages and of linguistic duality in Canada. It has been integrated to policies, regulations and laws at the federal level and in several Canadian provinces. Scholarly work on active offer has mainly been devoted to its implementation. This article goes beyond those contributions to reconstitute the history of active offer. It answers two questions: 1) what are the origins of active offer? and 2) what are the milestones in its evolution and its dissemination? We believe that the early representations of active offer were not purely technical or formal and that they have eroded with time. The demonstration is based on primary and secondary sources that have allowed us to go back to the moment where active offer seems to have emerged. This article is organized around three periods: the conceptualization, the institutionalization and the dissemination of active offer.

Mathieu WADE

Régimes linguistiques et symboliques: les structures juridiques de la littérature acadienne

Cet article porte sur le régime linguistique canadien et les représentations du territoire, de l'identité et de l'Autre qu'il semble structurer dans la littérature et les sciences sociales acadiennes. Dans une perspective interdisciplinaire, il s'agit de montrer comment le régime linguistique canadien balise à la fois les représentations littéraires et le champ des sciences sociales acadiennes. Cette comparaison des modes de représentation de soi, de l'Autre et du territoire en sciences et en littérature permet

de cerner certains aspects centraux du nationalisme acadien contemporain. L'article plaide pour un rapprochement des études littéraires et des
sciences sociales et pour un élargissement des représentations du monde
et du champ de production des savoirs.

*This article focuses on Canada's language regime and looks at how it seems
to affect representations of territory, identity and others in Acadian literature
and social sciences. This interdisciplinary perspective sheds light on the subtle
ways in which the language regime structures literary representations and the
scope of knowledge production. Moreover, it elucidates fundamental elements
of contemporary Acadian nationalism. This article pleads for a richer dialogue between literature and social sciences, in order to broaden the scope of
knowledge and of literary representations.*

Svetlana KAMINSKAÏA

*Effet des facteurs sociaux sur la réalisation des pics mélodiques en français
spontané en milieu minoritaire*

Dans cet article, nous examinons l'effet des facteurs d'âge et de sexe sur
l'alignement des tons hauts (H) associés à l'accent final du groupe rythmique en français spontané parlé en contact intense avec l'anglais en
Ontario. La langue anglaise présente un alignement tonal plus stable que
la langue française, ce qui nous fait aussi nous demander si la situation de
contact linguistique affecte la réalisation des pics mélodiques en français
minoritaire. Les résultats de l'analyse indiquent que les locuteurs plus
jeunes et les femmes réalisent les sommets mélodiques plus tard que les
participants plus âgés et les hommes. Dans la variété étudiée, comme
dans des variétés en contextes majoritaires, la zone de la réalisation des
tons H reste relativement large bien que l'on remarque une tendance à
son rétrécissement. L'hypothèse de l'influence de l'anglais dans la réalisation du pic tonal en français minoritaire en Ontario ne peut donc être
complètement réfutée.

*This paper examines the alignment of high tones (H) associated with the
stressed syllable of the rhythmic group in spontaneous French spoken in an
intense contact with English in Ontario, as realized by speakers of differ-
ent sexes and age groups. Also, since tonal alignment shows more stability
in English than in French, we are wondering if in a contact situation the
minority variety will be affected by the dominant language. The results suggest*

that our younger participants and women produce H tones later than older participants and men. However, in all groups, peaks are realized in a relatively large zone, even though this zone appears narrower than in majority varieties of French. Thus, the hypothesis of the effect of dominant language on the production of melodic peaks in a minority French variety cannot be completely rejected.

Notices biobibliographiques

Véronique Arseneau est étudiante au doctorat en lettres françaises et études canadiennes à l'Université d'Ottawa. Elle est titulaire d'une maîtrise en lettres françaises de la même institution et d'un baccalauréat spécialisé en français de l'Université Sainte-Anne. Ses recherches actuelles portent sur la réception critique des femmes dans la francophonie canadienne (1970-2010). Depuis 2016, elle codirige la section « Critique artistique » du webzine *Astheure*, avec Ariane Brun del Re et Pénélope Cormier. On peut la lire dans différentes revues culturelles et savantes, dont *Astheure*, *Liaison*, *Romanica Olumencia*, *Les Cahiers du GRECELF* et *Cahiers ERTA*.

Guillaume Deschênes-Thériault est étudiant au doctorat à l'École d'études politiques de l'Université d'Ottawa. Dans ses recherches, il s'intéresse aux politiques et aux enjeux liés aux communautés francophones en milieu minoritaire au Canada, notamment dans le domaine de l'immigration. Il est boursier de la fondation Baxter et Alma Ricard.

Janique Dubois est professeure adjointe à l'École d'études politiques de l'Université d'Ottawa. Ses recherches interdisciplinaires portent sur la mobilisation politique et sur les relations entre l'État et les communautés minoritaires. Elle s'intéresse, en particulier, aux pratiques de gouvernance des minorités autochtones et linguistiques au Canada. En 2019, elle a fait paraître, en collaboration avec Kelly Saunders, l'ouvrage *Métis Politics and Governance in Canada*, qui traite des enjeux contemporains de gouvernance chez la nation métisse.

Michèle Frenette est étudiante au doctorat en service social à l'Université d'Ottawa. En plus d'être coordonnatrice du Collectif de recherche féministe anti-violence (FemAnVi), elle a œuvré dans différents milieux communautaires, notamment à titre d'intervenante féministe en maison d'hébergement pour femmes victimes de violence conjugale. Elle s'intéresse particulièrement à l'actualisation de l'intervention féministe et aux pratiques novatrices en maison d'hébergement.

Pierre-Don GIANCARLI est chercheur à l'Université de Poitiers, en France. Après une thèse consacrée au bilinguisme, ses publications actuelles portent sur la linguistique contrastive et les grammaires comparées de l'anglais, du corse, du français de France et des variétés de français du Canada que sont le laurentien et l'acadien ainsi que le chiac.

Svetlana KAMINSKAÏA est professeure agrégée au Département d'études françaises de l'Université de Waterloo. Ses recherches portent sur la variation régionale, sociale et stylistique dans la prosodie du français. En examinant les différents aspects de la variation rythmique et intonative dans des français majoritaires et minoritaires parlés en Ontario et au Québec et en les comparant avec des variétés européennes, elle cherche à contribuer à leur description systématique.

Marcel MARTEL est professeur et titulaire de la chaire Avie Bennett Historica Canada en histoire canadienne à l'Université York de Toronto. Il a publié des articles sur les politiques publiques, les droits linguistiques et la régulation sociale. Ses dernières publications incluent *Globalizing Confederation: Canada and the World in 1867* (avec Jacqueline D. Krikorian et Adrian Shubert, University of Toronto Press, 2017); *Le Canada français et la Confédération : fondements et bilan critique* (avec Jean-François Caron, Les Presses de l'Université Laval, 2016); *Canada the Good? A Short History of Vice since 1500* (Wilfrid Laurier University Press, 2014); *Langue et politique au Canada et au Québec : une synthèse historique* (avec Martin Pâquet, Éditions du Boréal, 2010); *Speaking Up: A History of Language and Politics in Canada and Quebec* (traduit par Patricia Dumas, Between the Lines, 2012)

Martin NORMAND est stagiaire postdoctoral à l'École d'études politiques de l'Université d'Ottawa. Il est aussi le coordonnateur du Groupe de recherche interdisciplinaire sur les pratiques d'offre active de services en français (GRIPOAS). Il détient une maîtrise de l'Université d'Ottawa et un doctorat en science politique de l'Université de Montréal. Il a été chargé de cours à l'Université de Montréal, à l'Université d'Ottawa et à l'Université de Saint-Boniface. Ses recherches portent principalement sur les politiques linguistiques et sur la capacité d'agir au sein des minorités linguistiques.

Michael POPLYANSKY est professeur adjoint à La Cité universitaire francophone de l'Université de Regina. Auteur de plusieurs études consacrées au nationalisme acadien contemporain, il a récemment publié *Le Parti acadien et la quête d'un paradis perdu* (Septentrion, 2018) et, en collaboration avec Abdoulaye Yoh, *Contre toute attente. Histoire de la présence francophone à l'Université de Regina* (Éditions de la Francophonie, 2018).

Mathieu WADE est titulaire d'un doctorat en sociologie de l'Université du Québec à Montréal. Ses travaux portent sur l'institutionnalisation du régime linguistique canadien et ses liens avec l'identité, l'organisation de la société civile et la production des savoirs dans la francophonie canadienne. Il est présentement chercheur à l'Institut d'études acadiennes de l'Université de Moncton.

Politique éditoriale

Francophonies d'Amérique est une revue pluridisplinaire dans le domaine des sciences humaines et des sciences sociales. Elle paraît deux fois l'an. La direction de la revue favorise non seulement la représentation équitable des diverses disciplines, mais elle encourage également les croisements disciplinaires. L'Ontario, l'Acadie, l'Ouest canadien, les États-Unis et les Antilles (Haïti, Martinique, Guadeloupe) y sont représentés. Le Québec peut aussi y être conçu comme un objet d'étude dans son histoire et sa présence continentales. Les diverses facettes de la vie française dans ces régions font l'objet d'analyses et d'études à la fois savantes et accessibles à un public qui s'intéresse aux «parlants français» en Amérique du Nord. On y retrouve aussi des comptes rendus et une bibliographie des publications récentes en langue française issues de ces collectivités. La direction de la revue privilégie la représentation des régions tant par les textes que par les auteurs et encourage les études comparatives et les perspectives d'ensemble. *Francophonies d'Amérique* vise à refléter un secteur de recherche en pleine croissance et constitue ainsi une source de renseignements des plus utiles pour quiconque s'intéresse à la francophonie nord-américaine dans toute sa vitalité.

Procédure d'évaluation des articles

Tous les articles soumis à la revue, y compris les textes sollicités par la direction, les membres du conseil d'administration ou du comité de rédaction, doivent faire l'objet d'une évaluation par au moins deux personnes compétentes. La revue fera appel le plus souvent possible aux membres du comité de rédaction pour assurer l'évaluation des textes. La sollicitation d'un article ou d'un compte rendu n'en signifie donc pas l'acceptation automatique.

Francophonies d'Amérique ne publie que des articles inédits, c'est-à-dire qui n'ont fait l'objet d'aucune publication antérieure, sous quelque forme que ce soit, incluant le site Web de l'auteur, celui du centre de recherche ou celui de l'institution à laquelle il est rattaché.

Numéros thématiques – textes choisis de colloques

Francophonies d'Amérique accueille volontiers des articles provenant de colloques portant sur des sujets pertinents. Un seul numéro par année est normalement consacré à ce type de publication.

La préparation des textes est confiée au responsable du numéro thématique. Tous les articles doivent être remis en un seul dossier, en format Word. La présentation du numéro par le responsable scientifique et les notices biobibliographiques (100 mots) des collaborateurs et des collaboratrices ainsi que les résumés (en français et en anglais) des articles (100 mots) doivent être compris dans le dossier remis à la direction de la revue. Les textes doivent être conformes aux normes et au protocole de rédaction de la revue.

Les manuscrits doivent faire l'objet d'une évaluation normale par les pairs.

En consultation avec les coordonnateurs des différents dossiers, la direction de *Francophonies d'Amérique* est responsable du choix final des articles, et elle avisera les auteurs de sa décision.

Nombre de pages

Les numéros de *Francophonies d'Amérique* comptent au maximum 200 pages, incluant la table des matières, l'introduction, les articles, les comptes rendus, les notices biobibliographiques et les pages se rapportant à la revue.

Longueur des articles

Les textes soumis pour publication comptent entre 15 et 20 pages, à interligne double. Les tableaux, les graphiques et les illustrations doivent être limités à l'essentiel ; chaque numéro comprend au maximum 26 tableaux et illustrations.

Présentation des articles

La revue utilise le système de renvoi à l'intérieur du texte, suivi d'une bibliographie des ouvrages cités. Les notes doivent être réduites au minimum, et seules celles qui sont essentielles à la cohésion et à la compréhension de l'article seront publiées. De même, la revue ne publiera que la bibliographie des ouvrages cités.

Présentation des comptes rendus

Les comptes rendus comprennent la référence complète de l'ouvrage recensé en guise de titre, suivie du nom de l'auteur du compte rendu ainsi que ses coordonnées complètes. Nombre de mots : entre 1 000 et 1 200.

Protocole de rédaction

Le protocole de rédaction est disponible sur demande.

Accès libre aux articles

Un an après la parution de son article en format imprimé et électronique dans le portail Érudit, l'auteur qui le désire pourra diffuser librement son article après en avoir obtenu l'autorisation de *Francophonies d'Amérique* et en s'assurant que la source de l'article est clairement indiquée.

Bureau des abonnements
CRCCF

Université d'Ottawa
65, rue Université, bur. 040
Ottawa (Ontario) K1N 6N5
CANADA

crccf@uOttawa.ca

ABONNEMENT À LA VERSION IMPRIMÉE | NUMÉRO 49

Canada (TPS comprise)			**À l'étranger** (frais d'envoi compris)		
Étudiant/ retraité	☐	30 $	Étudiant/ retraité	☐	40 $ CAN
Individu	☐	40 $	Individu	☐	55 $ CAN
Institution	☐	110 $	Institution	☐	140 $ CAN

TARIFS À L'UNITÉ | Numéro désiré _____

Canada (TPS comprise)			**À l'étranger** (frais d'envoi compris)		
Étudiant/ retraité	☐	20 $	Étudiant/ retraité	☐	28 $ CAN
Individu	☐	25 $	Individu	☐	33 $ CAN
Institution	☐	60 $	Institution	☐	70 $ CAN

Nom :   Prénom :

Organisme :

Adresse :   Ville :

Province :   Code postal :

Téléphone :   Courriel :

Veuillez retourner une copie de ce formulaire d'abonnement et votre chèque libellé au nom de l'Université d'Ottawa à l'adresse suivante :

Centre de recherche en civilisation canadienne-française
Université d'Ottawa
65, rue Université, bur. 040
Ottawa (Ontario) K1N 6N5
CANADA

ABONNEMENT À LA VERSION NUMÉRIQUE

Pour les abonnements à la version numérique, les institutions, les consortiums et les agences d'abonnements doivent communiquer avec Érudit :
Tél. : 514 343-6111, poste 5500 | client@erudit.org

MIXTE
Papier issu de
sources responsables
FSC® C100212

Achevé d'imprimer
en janvier deux mille vingt
sur les presses de l'imprimerie Gauvin,
Gatineau (Québec), Canada.